JN094609

輝く未来を
拓くために

哲学

岩崎哲学研究所所長
九州大学名誉教授
大阪商業大学特任教授

岩崎 勇

岩崎哲学研究所副所長

四海雅子

幻冬舎MC

哲学　輝く未来を拓くために

目　　次

（執筆担当　岩崎：4 章以外の部分、四海：第 4 章）

楽しく幸せな日々を過ごしていますか、
他の人に親切にしていますか。

自分の輝く未来に夢を持っていますか。

そして、その夢を叶えるための自分の哲学と
座標軸を持っていますか。

ちょっと深〜い哲学のお話です。

さあ、自分の哲学と座標軸を持って、
輝く未来を切り拓き、成功し、
幸せな人生を送りましょう！

はじめに

　本書を手に取ってくれた人は、多分**輝く未来を切り拓き、夢を叶え、成功し、幸せな人生を送りたい**と思い、この本を読まれていると思われます。さて、それでは**どのようにすれば輝く人生を切り拓き、夢を叶えることができるのでしょうか**。

　本書は長年に及ぶ岩崎哲学研究所[1] における人生哲学についての研究、九州大学大学院のコーポレート・ガバナンスについての授業やゼミ及び FM 福岡のモーニングビジネススクール[2]

---

[1] 岩崎哲学研究所のホームページ（https://saita2.sakura.ne.jp）を参照して下さい。

やイブニングビジネススクールでの稲盛和夫[3]や松下幸之助などの哲学に関する講義や講演内容、そして既に九州大学名誉教授になり、人生の歩み方が少し見えてきた著者が、もし許されるのなら輝く未来を持つ学生時代や若い時に、本書を手に取って人生の羅針盤(らしんばん)として、この内容に従ってもう一度人生をやり直し、希望に満ちた未来を切り拓きたい気持ちで共著者と共に書いたものです。そして、本書の内容は人生哲学の深い内容を取り扱うので、老若男女、宗教などを問わず、1000年後でも通じる内容のものとなっています。本書は人生を深く考えることによって、正しい人生の捉(とら)え方や幸せで最高の人生の過ごし方などが真に理解できるようになり、人生を楽しく幸せに過ごせ、かつ実際の人生にとって真に役立ち、輝く未来が切り拓け、夢が叶えられるような実践的なものです。

　そして、**人生を切り拓き、夢を叶えるためには、これだけ決めれば後は考えなくても良いものがあります。**それは人生哲学に基づきどのように生きるべきかという「**生き方**」(way of life)です。それゆえ、**人生において成功し、幸せに生きるために**

---

2 なお、関連する内容は FM 福岡 QTnet モーニングビジネススクールで聞くことができます。

3 稲盛和夫氏など本書で引用させて頂いた人々は著者が心から尊敬している人々なので、本来敬称を付けるべきであると考えますが、一般の書籍と同様に敬称を省略させて頂いています。

は、そのようになれるような「生き方」をすることが必須です。このためには、深い思考に基づく人生哲学を持って、生き方を決定していくことが大切です。そこで、**本書の人生哲学の中心テーマ**は、この１回限りの本当に貴重な**人生を切り拓き、夢を叶えるために、どのように自分の力で人生をコントロールしながら生きるのか、という生き方を問うもの**です。そして、何か新しい考え方を本書の中で発見し、基本的な考え方（パラダイム）の転換（「**パラダイムシフトないし観の転換**」⁴）が生じ、成功し、幸せになれればと願っております。さあ、本書で一緒に人生の生き方を深く考え、人生を自分の力でコントロールし、未来を切り拓き、夢を叶え、幸せな最高の人生にしましょう！⁵

　なお、本書の作成に当たっては編集部の竹内友恵氏に編集全般について大変お世話になりました。心から感謝申し上げます。

---

4 **トーマス・クーン**は古い理論的な枠組みから新しいものへの変化を**パラダイムシフト**（①：721 頁）と呼んでいます。なお、観の転換には、例えば、価値観の転換や自然観の転換などがあります。
5 また、本書において廣松渉他編『岩波　哲学・思想事典』岩波書店、繁桝算男・四本裕子監訳『APA 心理学大辞典』境風館（以下①）、子安増生、丹野義彦、箱田裕司監修『現代心理学辞典』有斐閣（以下②）からの引用は頁数だけを記載するものとします。

第1章

人生に役立つ哲学

ここでは**哲学がいかに人生に有用で役に立つのか**について述べています。このために、「哲学の意義や有用性」「本当の自己の捉え方」「存在の捉え方と現代科学技術との関連」などについて説明しています。

1　哲学の意義

（1）　哲学の意義

　ここでは「哲学の意義や有用性」などについて説明しています。そして、以下では、輝く未来を切り拓きたいと思い少し哲学を学び始めている若さ溢れ希望に満ちた**さくら（愛称：サクちゃん）**の疑問に、とても仲の良い大哲学者**ソクラ（愛称：ソクちゃん）**氏が丁寧に答えるものです。

【さくら 】　ソクラさん、「哲学」と聞くと「何かとても難しそう！」と感じられるけど、どんな意味ですか？

【ソクラ 】　サクちゃん！　それでは輝く未来を切り拓くための人生哲学についてできるだけわかり易く説明するので、よ〜く聞いていて下さい！　まず、**哲学**（philosophy）とは今から約2600年前の古代ギリシャにおいて始まった学問で、ギリシャ語の philosophia に由来し、philein（愛する）sophia（知を）

すなわち**知を愛すること**という意味で、科学、政治や宗教などの学問の大元です（1119頁）。言い換えれば、**哲学**とは世界、社会、愛、善、正義、人生や人間などに関する本質や根本（原理）を深く理性的に考えることを意味します。すなわち、世界、善、人生などの答えのない問題について、その時代の常識や通説などに疑問を投げかけ、単に世間の常識や感情に従って表面的に考えるのではなく、理性（ロゴス）に従ってもっと深くその本質や根本をとことん考えるものです。

　このように、哲学は世界、正義、人生などについて理性で深く考えることであり、これによって正しい人生の捉え方や幸せで最高の人生の過ごし方が真に理解できるようになります。それゆえ、哲学は人生にとって非常に有益でかつ実践的なものです。そして、哲学的な深い考え方ができる人は一生を大きな誤りをせず、幸せで最高の生き方ができます。

　ということは、唯物論的[1]に物的に目に見えるもの[2]だけを信じて生きることは、視野が狭く、誤った考え方や行動となる可能性があるということですね。そこで、物事の本質を深く考える哲学が必要とされるということ、つまり、哲学は長い

---

1 唯物論とは世界の根本的な実在を物質とみなす考え方のことです。
2 目に見えるものとしては、例えば、物品、お金、地位などがあります。

人生において真に必要とされる**見えないものを観る力**、**一般的な解答のない問題を考える力、人生を支える力や強い心を養うための根本**であるということですね。

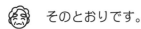 そのとおりです。

（2） 人生哲学の意義

関連する質問で、人生哲学って何であり、何に役立つのですか？

人生哲学とは人生を対象にし、その本質や根本について理性で深く考えるものです。すなわち、人生哲学とは幸せで最高の人生を送るのに大切な人生の根本、座標軸ないし行動の指針を深く考えるものです。より具体的に言えば、人生哲学は、例えば、「汝自身を知れ」（ソクラテス：1203頁）「本当の自分とは」とか「人は何のために生きているのか」「何のために働くのか」といった自己の本質や生き方などを、表面的な感情ではなく、理性によって深く問うものです。そして、それはその叡智によって人生を自分の力でコントロールし、豊かで幸せな人生を送るためのものです。

☕ コーヒーブレイク
ソクラテス（前 469- 前 399：希［ギリシャ］）

　ソクラテスはギリシャ哲学の祖であり、**問答法[3]**（問いと応答によって、知や真理を追究すること）を活用し、相手をアポリア（aporia：行き詰まり）に追い込むなどをすることによって、新たな知や真理を追究しました。**無知の知**（自分は何も知らないという自分を認識していること）などを唱えました。

（3）　哲学の有用性

👩　社会では、哲学は難しい概念を用いて考えるだけで、本当に役立つのか、といわれますが……?

👴　確かに哲学についての一般的なイメージは難しい用語を使用し、難しい理論を展開する割には人生に役立たないというイメージがあります。一面を見れば、確かにそのような側面を持っています。他方、哲学には**人生に非常に役に立ち、ぶれない信念[4] を養い、かつ自己の人生をコントロールできる羅針盤 や座標軸を与えてくれるものという側面も同時に持っています。**

　ここでは後者の**哲学の人生への役立ち**という側面を特に重視し、単なる哲学の学説や用語の解説ではなく、哲学的な内容を

---

[3] 他方、**ディベート**は討論によって勝ち負けを審判員によって判断していく方法です。
[4] **信念**とは自分が正しいものであると強く信じる考え方のことです。

人生においてどのように実際に役立てられるのかということを意識しています。それゆえ、哲学的な内容をできるだけ哲学用語を使わずに平易な用語で解説し、また図解を多用し、実生活に役立つ考え方を示しています。このことによって実際の人生に役立つ**実践哲学**としての性格を持つものとなっています。そして、**「哲学」から分化した人間の「心理」を専門的に取り扱う「心理学」で既に答えの出ている課題については、その知見を積極的に援用しています。**

　ただし、哲学をただ単に知識として理解しただけでは人生には全く役立ちません。ここで得られた知識を実際の生活で実践することこそが最も重要なことです。それゆえ、知識を実際の生活で活用できるように、**成功の方程式**という形で方程式にまとめています。と同時に、その方程式の中においても積極性や実践力を最重要な要素として示し、実践性を重視しています。

　そうですか。ソクラさんの人生哲学はいわゆる儒家の朱子が朱子学の中で唱えた「**先知後行**[5]」（1058 頁）ではなく、王陽明が陽明学の中で唱えた「**知行合一**[6]」（1058 頁）を目指すも

---

[5] 先に知識を付けて後で実践するということです。なお、実際には残念ながら後で行われないことも少なくありません。

[6] 読書などによって知りえた真理をそのまま実践することが最も重要なものであるという考え方のことです。

> ☕ **コーヒーブレイク**
>
> **朱子**（1130-1200：中）と **王陽明**（1472-1528：中）
>
> 　**朱子**は儒学を再整理した新儒家であり、**朱子学の始祖**です。彼は自然から道徳に至るまでの包括的な哲学すなわち**理気二元論**（万物は理と気からなっているとする考え方であり、理［すべての本質］と気［素材］からなります）、**居敬窮理**（欲望を抑え、理を窮めること）、**格物致知**（勉強して知を得ること）や**先知後行**などを唱えました。
>
> 　他方、**王陽明**は新儒家で**陽明学の始祖**であり、朱子学を批判的に発展させた**理一元論、心即理**（善悪双方を含めた心がそのまま理であること）、**致良知**（良知を実行すること）、**知行合一**（単なる知識ではなく、実行が大切）などを唱えました。

のなのですね。

　　そのとおりです。知行合一ということが人生ではとても大切です。

2　真我と存在の捉え方

　ここでは、哲学的に大きな問題となる「本当の自己（真我）」や「ものの存在の捉え方と現代科学技術の関係」などについて説明しています。

（1） 真我の捉え方

例えば、**ソクラテス**の有名な言葉に「汝自身を知れ」（1203頁）というものが、また**ゴーギャン**の有名な画題に「**我々はどこから来たのか　我々は何者か　我々はどこへ行くのか**」というものがあり、古代ギリシャの時代から「本当の自分（真我）とは何なのか」が哲学上問い続けられてきました。これについてどう考えますか？

そうですね、そのような「**本当の自分（真我）とは何か**」という哲学上最も深い問いに対する主な答えとして、図表1-1、1-2のような考え方があります[7]。これらは、この順でその内容が深まっていきます[8]。

第①は、本当の自分とは**身体**（body）であると考えるものです。これは最も初歩的な直感による考え方です。この場合、心は身体の一部である脳の働き、すなわち意識は脳が作り出すものに過ぎないと考えます。この説による場合には、身体という物質を重視するので、基本的に唯物論と結びつき、自分の本能、感情や情動に従って、それを満たすような行動をし易い傾

---

[7] この他に東洋哲学的には釈迦が「**無我説**」（1564頁：諸法無我：固定的な実体としての自我すなわち自己は存在しないという考え方）を唱えています。また、例えば、近代哲学の大陸合理論者のスピノザは「**汎神論（大宇宙説）**」（1295頁：自己とはこの大宇宙そのものである［自己＝大宇宙］という汎神論的な考え方）の採用者です。

[8] ただし、②と③は同列であると考えられます。

図表1-1　本当の自分（真我）とは

摘　要	内	容	備　　　　考
本当の 自　分 （真我）	①身体説	身体（body）	唯物論的な傾向
	②心説	心（mind）	唯心論的な傾向
	③心身説	心と身体 （心身：mind & body）	一般的な考え方
	④魂説	魂ないし霊（spirit）	魂が思考し、活動するための 非常に貴重な道具として心と 身体を捉えるもの

図表1-2　本当の自分（真我）とは

①身体説　　②心説　　③心身説　　④魂説

向があります。一般に目に見える世界だけを信じている人はこの説に近いものです。しかし、現実社会は**目に見える物質[9] の世界ばかりでなく、目に見えない世界も存在することは確かです**（図表 1−3）。そこで、この目に見えない世界をどう見るかで、以下で示すような様々な考え方が生まれてきます。

　第②は自分の**心**（mind）を本当の自分と考えるものです。こ

---

[9] 目に見える物は、実際は物としての固定的な実体はなく、微粒子ないし波動の連続的な流れである現象として一時的に現われたに過ぎないものです。この他に、例えば、電波、音波や光なども波動です。さらに、感情も一種の波動です。それゆえ、「波長が合う人」というような言い方もします。このうち人間は自分で波動を変えることができます。

図表1-3　世界の捉え方

	見える	物質世界	宇宙、自然など
世界			物質：空気、電波、電気など
	見えない	非物質世界など （様々な考え方が可能）	（感情などの）心
			魂など（?）

*1：ただし、目に見えないが存在することが科学的に明確にされているものとして、
例えば、空気などの気体、電波、電気、エネルギーなどがあります。また、目に
見えないが私たちが知っているものとして感情などの心があります。

の説は心という非物質的なものを重視するので、基本的に唯心
論[10] に結び付きます。

　第③は自分の**心と身体の双方**を自分と考えるものです。この
説では一般に自分の心と身体の双方を重視して生活をします。
これは世間において一般な考え方です。そして、この説には、
例えば、近代哲学の祖と呼ばれる**デカルト**[11] **の**「**心身二元
論**[12]」（823頁）などがあります。

　第④は**魂**ないし**霊**（spirit）を本当の自分と考えるものです。

10　世界の根本的な実在を**心（精神）**とみなす考え方であり、例えば、バークリーや東
洋哲学の唯識論などがあります。
11　大陸合理論に属する**デカルト**の有名な言葉に、「我思う、故に我あり」というもの
があり、どんなに疑っても自分が思考しているという事実は否定できないので、私は
存在すると考えます。しかし、これは、私は在るという存在と思考とを同一視したに
過ぎなく、自分の感情（定立的意識）が考えていることに気づいたとき、気づいてい
る意識はその思考の一部ではなく、別の次元の意識（非定立的意識：**メタ認知**）で
あるということに、**サルトル**は気づきました。吉田利子訳、エックハルト・トール著
『ニュー・アース』サンマーク出版、64頁。哲学思想研究会編『図解哲学人物＆用語
事典』日本文芸社、144-145頁。
12　ただし、この説では心身は相互に独立的な存在であるとしています。

この説は最も深い精神的なものを自分とするものです。この説にもいろいろな考え方がありますが、１つの例を挙げれば、魂が思考し、活動するための非常に貴重な道具として心と身体を捉えるというものです。このように、**心身を魂の非常に貴重な道具**として捉える場合には、道具としての心と身体は、例えば、ナイフなどの道具のように、そのものが本来持っている機能を最高に発揮できる最も切れる状態（最高の状態）、すなわち心はエゴから離れ、また、身体は健康な状態という**心身共に健康な状態**にしておくという心身のコントロールが容易となります（図表1-4）。

　そして、この説による場合には、感情としての自分を別の意識としての自分（魂）が客観的に観察するという**メタ認知**[13] が容易となるので、**自己をコントロールし易いこと、夢を達成し易いこと、人間性を高め易いことや慈悲深いこと**などの多くの長所があります[14]。

　へ〜え！　哲学上も「魂説」があるのですか。あまりこ

---

[13]　**メタ認知**（①：868頁）ないし自己認知とは自分を客観視し、第３者の目で自分の気持ちや行動を観察することです。そして、自分を客観視できる能力が**メタ認知能力**です。この**メタ認知のメリット**として、緊張を解き、不安を軽減し、自信を高めることなどがあります。なお、魂説による場合には、見られている自分の感情を「心」、そしてそれを客観的に見ている自分の意識を「魂」と考えると理解し易いです。

[14]　これに気づくためには、日常の感情的な思考から離れることによって内なる自分に気づくことが大切です。

図表1-4　真我観の長所・短所

分　類	長　　　　　　　所	短　　　　　　　所
①身体説	—	・心の軽視
②心説	—	・身体の軽視 ・明確な根拠を客観的に示しづらいこと
③心身説	・心身の双方の考慮 ・一般的な考え方	・心身を甘やかし易いこと ・心身のコントロールが難しいこと
④魂説	・メタ認知・心身のコントロール・夢や志の達成・人間性の向上が容易にできること ・慈悲深いことや本心良心的であること	・明確な根拠を客観的に示しづらいこと

れまで考えてこなかったです。いずれにしても、本当の自分を何と考えるのかによって、生き方や人生の目的などの考え方に非常に強い影響を与える可能性があるので、自分の理性で慎重にかつ哲学的に時間をかけて、この問題を深く考えることが大切ですね。

 そのとおりです。

（2）　存在の捉え方と現代科学技術

哲学上、生物などの「存在の捉え方」にはどのようなものがあるのですか？

☕ コーヒーブレイク
デカルト（1596-1650：仏）、**釈迦**（前 5-4 世紀頃：印）　**仏教**

　デカルトはルネッサンス期の大陸合理論に属するフランスの哲学者であり、神ではなく人間の理性によって真理を追究していくことを目的とした近代哲学を提唱し、近代合理主義[15]を確立しました。『**方法序説**』[16]などを著わし、懐疑論に従って先入観を否定し、すべてを疑って、定義や意義を明確にしようとし、「我思う、故に我あり」として、自我の存在を哲学の第 1 原理とする近代哲学を構築しました（「近代哲学の父」）。

　他方、**釈迦**は仏教の始祖であり、また、**仏教**は紀元前 5 世紀頃インドにおいて釈迦の説いた仏に成れる自己完成への教えであり、人間の「苦からの解放」を教えるものです。そこでは**三法印**（諸行無常、諸法無我、涅槃寂静）や**四諦**（4 つの真理：苦諦、集諦、滅諦、道諦）、道諦としての**八正道**などが説かれました。

　　哲学上私たちが生活している現実世界に現われた五感で感じ取れるものについての**存在の捉え方**には、図表 1-5、1-6 のように、古代ギリシャ哲学の時代から大きく 2 つのものがあります。第(1)は有機的自然観的な考え方で、すべてのものは自然の力によって生まれ、変化するという形で存在している

---

[15]　**デカルト**は、人間には生まれつき備わっている真偽や是非を判断する能力である**生得観念**（923 頁）があり、この生得観念を前提として、理性による合理的推論を重視し、理性で物事を考えることによって合理的に真理に到達できると考え（「**合理論**」）、近代の**大陸合理論**（506 頁）の祖となりました。

[16]　谷川多佳子訳、デカルト著『方法序説』岩波文庫。

図表1-5　自然原理論とイデア論など

【自然原理論】　　　　　　　　【イデア論など】

双葉
（自然に存在）

神など（設計図）　＋　（材料）　＝　双葉（被創造物）

（[自然の力→]生物など→存在）というごく自然な考え方（**古代ギリ
シャ的な価値観**）です。多くの古代ギリシャ人も一般に大自然を
見てこのように考えていたと考えられます。

　第(2)は神による天地創造的な考え方に基づいて、すべての
ものは神などによって理想的なもの（**イデア**：物事の本質[17]や原型）
としてデザインされ、その設計図に基づいて創造され、被創造
物として存在している（イデア[設計図]＋素材－[創造]→被創造物
として存在）と考えるもの[18]（**プラトン的な価値観**）です。これは正
に**発想の大転換**です。この考え方は**ソクラテス**の弟子である**プ
ラトン**による「**イデア論[19]**」（86頁）やプラトンの弟子である**ア**

17　**本質**とはそれを除いては物事が物事でなくなるようなもののことです。
18　このイデア論はプラトンが切望した理想的な国家を建設するというような事例を考
　　えてみると理解し易いです。
19　プラトンのイデア論の考え方がその後のキリスト教に取り入れられ、西洋思想に非
　　常に大きな影響を及ぼしました。

図表1-6　存在の捉え方

摘　　要	(1)自然原理論	(2)イデア論・形相質料論
①存在	自生的な存在	イデアないし形相（設計図）に基づく被創造物的な存在**23**
②価値観	古代ギリシャ的価値観	プラトン（アリストテレス）的価値観
③存在の流れ	（自然の力[*1]→）生物など→存在	イデアないし形相（設計図）＋素材－（創造）→被創造物的な存在[*2]
④特徴	自然	被創造物的な存在
⑤考え方	自然の力によって自ら生じ、存在	プラトンのイデア論、アリストテレスの形相質料論など
⑥真理への接近	自然の観察	イデアないし形相への接近（究明）の試み
⑦手法	観察	真実や本質を観察・実験・実証主義などの帰納法によって発見しようとすること[*3]
⑧科学技術への貢献	一定の貢献	・多大なる貢献をし、今日の欧米の研究方法の主流を形成 ・DNAの発見とその解読など

*1：有機的自然観（637頁）、*2：目的論的自然観（1592頁）、*3：近代哲学以降は機械論的自然観（637頁）へ転換し、機械論的な視点から法則を発見しようとしています。

リストテレス[20] の以下に示すような「**形相質料論**」（419頁）の中で主張されました。この場合、理想主義者のプラトンは、イデア（物事の本質・真理）は私たちが目に見える現象界にはなく、別のイデア界にあるとしたのに対して、現実主義者のアリストテレスは、（設計図と素材は共に現実の世界にあるので、）イデアはこ

20　今道友信『アリストテレス』講談社学術文庫。

の現実世界の中に（形相として）あり、それを観察や実験などの経験[21]を通して探求（真理の追求）しようと主張しました。そして、アリストテレスは、例えば、現実世界において双葉についての**設計図**（**形相**[22]：エイドス：**物事の本質**）に基づき**素材**（**質料**：ヒュレー）を用いて双葉が（神などによって）創造され、存在していると考えました。

　特にここでは、この世に存在するものは、理想的な形ないし設計図というものを想像し、それを基礎として材料を用いて創り出されているという考え方が重要です。この考え方は現在において製品を製造する製造業などでは当たり前の考え方であり、また、一神論のキリスト教などを信じ、天地創造の考え方に馴染みのあるヨーロッパの人々の間では、この考え方にはあまり違和感がなかったようです。

　今日では、後者の目的論的自然観からさらに機械論的自然観へと変遷しています。そして、様々な法則などを発見するために、観察や実験を行い、実証により確かめるという（西洋哲学に

21　帰納的に結論を導くこと。
22　**形相**とは超自然的な物事の本質を示す真の存在で一定の形を与え、一個の現実的な存在として成立させる構成原理のことです。
23　木島泰三『自由意志の向こう側　決定論をめぐる哲学史』講談社選書メチエ、38-49頁。

基礎づけられた）実証主義[24]的な考え方は、古代ギリシャから**ベーコンやヒューム**などの**イギリス経験論**[25]を経て今日に至るまで脈々と受け継がれ、今日全世界で主流な研究手法の１つになっています。その成果の代表的な例は**生物の設計図である DNA**（遺伝子を保持している物質）**の発見とその解読**などであり、これを遺伝子治療などに役立てていこうとしています[26]。

　すご〜い！　哲学上の存在の捉え方が現代科学技術にも影響しているのですね！

　そのとおりです。

---

[24] **実証主義**（661 頁）とは経験的に実際に検証できる事実のみによって考察していこうとする研究方法のことです。

[25] **イギリス経験論**（63頁）とはイギリスの哲学者のベーコン、ロック、バークリーやヒュームなどが採用した考え方であり、知識や真理は人間の観察や実験などの経験によって得られるという考え方（「**経験論**ないし**経験主義**（401 頁）」）です。

[26] 古田博司『使える哲学』ディスカヴァー・トゥエンティワン、14-23 頁。なお、形相は遺伝子、質料は分子と考えると理解し易いです。

　プラトンはイデアなど理想世界を主に対象とした観念論（idealisum）的で理想主義の哲学者であり、（知性で捉えた）善や美など物事の本質、真理や理想の姿であるイデアは現実世界に存在せず、イデア界にあると主張しました。『国家』、『ソクラテスの弁明』[27] などを著わしました。

　アリストテレスは紀元前 4 世紀の古代ギリシャの哲学者で、西洋最大の哲学者の 1 人です。また、プラトンの弟子であり、アレクサンドロス大王の教師でギリシャ哲学を整理し、学問を 1 つの体系にまとめた万学の祖と呼ばれています。現実の世界を主な対象とし形相質料論によって現実世界に物事の本質や真実があると主張し、観察や実験などを行うことにより真実に近づける[28] と考える目的論的世界観を持つ経験論的で現実主義の哲学者です。『形而上学』[29]、『ニコマコス倫理学』などを著わしました。

　キリスト教はイエスをキリストと認め、その人格と教えを中心とする宗教です。聖書として旧約聖書・新約聖書があり、正義と慈愛とに満ちた父なる神、人類の原罪、キリストによる贖罪、信仰義認説、三元徳（信仰・希望・愛）、三位一体説（神＝イエス＝精霊）などが説かれています。

27　久保勉訳、プラトン著『ソクラテスの弁明・クリトン』岩波文庫。
28　感覚で捉えた観察や経験を重視し、観察や実験によって真理・法則に近づこうとする方法は**帰納法**と呼ばれます。
29　出隆訳、アリストテレス著『形而上学（上）（下）』岩波文庫。

第 2 章

人生の座標軸

ここでは、成功し幸せな人生を送る上で役立つ**座標軸**について述べています。この座標軸を持つことによって、世間の常識などに迷わされることなく、**ぶれない自分の価値観に基づき自分が主導権を持った考え方と行動が行えます**。このために、「人生の視点」「人生の目的」などについて説明しています。

1　人生の視点と人生の目的

　ここではぶれない人生の座標軸として重要な「人生の視点」や「人生の目的」「エゴの種類と問題」などについて説明しています。

（1）　人生の視点

　　成功し幸せな人生を送るためには、「どのような視点から人生を考えれば良い」のですか？

　　人生を考える場合に、視野の狭い自分を中心とした日常的な時間や空間の単位ではなく、より広くより長い視点で人生を考えれば、より大きな誤りが少なく、より成功し幸せな人生を過ごすことができます。それではどの位広く、長いのかというと、以下のように、広がりとしての「宇宙的な視点」と長さ

としての「宇宙的な進化や生物的な進化の視点」です。

①　広い視点：宇宙的視点

　通説的な**ビッグバン理論**（Big Bang Theory）によれば、周知のとおり、現在の宇宙は 137～8 億年前頃といわれるビッグバン（大爆発）以来膨張を続けています[1]。そして、その片隅に天の川銀河が、さらにその中に太陽系が位置しています。しかも、私たちが生活する地球は太陽からの位置が奇跡的に生物の生息にちょうど良い位置にあります。もし地球が金星のようにもう少し太陽に近ければ気温が高くなり、灼熱の星となってしまい、水が蒸発し、現在の地球のような生物が生息できなくなります。また反対に、木星のようにもう少し太陽から遠ければ、気温が氷点下に下がり、やはり生物の生息が非常に困難となります。このように、あらゆるスケールで私たちは宇宙と密接につながっています。

　このような視点に立てば地球がいかに貴重な星であるかが理解でき、例えば、地球環境問題を考える上で、非常に有益な示唆を与えてくれます。

---

1 野中香方子訳、クリストファー・ロイド著『137 億年の物語　宇宙が始まってから今日までの全歴史』文藝春秋、8 頁。

②　長い視点：宇宙的進化や進化論的視点

　宇宙も生物のように進化しています。第1に、**宇宙の進化**の概要を見てみれば、ビッグバン後、最初に誕生した元素は水素やヘリウムなどの軽い元素であり、これが恒星を形成していきました。その恒星における核融合によって炭素、酸素、リチウム、鉄などのより重い元素を生み出していきました。その後、超新星爆発などによって生じたガスや塵が集まって核融合によって、46億年前頃に太陽が形成され、さらに岩石型の惑星の1つとして45億年前頃に地球が形成されました。このように、宇宙自体も進化しています。

　そして、第2に、**生物の進化**の概要を見てみれば、まず37〜38億年前頃に地球上においてすべての生物の共通祖先となる最初の生物である単細胞バクテリアが海底で誕生しました。それが非常に長い時間をかけて多細胞生物へと進化し、さらに軟体性の水中生物、魚類、両生類、哺乳類、人類へと進化してきています[2]。しかも、現在地球上に暮らす私たちホモサピエンスは、通説のアフリカ単一起源説によれば、アフリカの共通祖先であるホモサピエンスが非常に長い時間をかけて世界各

---

2 この進化の歴史は、周知のように、赤ちゃんが生まれる前の成長の状況を写真で見ると視覚的に確認できます。

地に拡散し、それぞれの環境に適応しながら進化し、現在のような状況になってきています（野中、前掲書、15-126頁）。

 すごく広く長〜い視点に立つのですね。このような理解に立てば、私たちは進化の過程で環境に適応するために、骨格や肌の色などが変化してきたけれども、同じ祖先を持つホモサピエンスの仲間であり、お互いに尊重されるべき存在なのですね。そして、このような観点から人種差別問題を考えることが有益ですね。つまり、現在という短くて狭い一時点のストック的な状況という視点ではなく、超長期的な歴史という長くて広いフローの視点から相対化して、すべての物事を考えることが大切なのですね。

そのとおりです。

（2） 人生の法則

人生を考える場合、その前提として「人生というドラマを織りなす経糸と緯糸はどのような法則」から構成されているのですか？

人生の生き方として唯物論的に見えるものだけを信じて生きることは視野が狭く、誤った考え方や行動となる可能性があります。そこで、この人生というドラマを織りなす経糸と緯

糸がどのような法則で構成されているのかを考えることは、見えないものを観るという深く哲学的に考える良い訓練になります。

　このような観点の下においてここでの**究極の世界観**としては、人生と世界の真相は、すべてのものは**相依性**に基づきお互いに果てしなく複層的に関係し合っており、①全体としては客観的な存在法則としての**縁起の法**によっており、②個別的には主体的な行為法則としての**因果応報の法則**（「**因果律**」）によって遂行されていると考えています。

　すなわち、まず私たちの人生というドラマを織りなす経糸（縦軸）を考えてみた場合、人生の経糸としては自己を取り巻く**環境**が考えられます。これを法則という観点から少し深く検討してみると、環境の背後にある法則は、図表 2-1 のように、すべてのものは縁によって生じ、縁によって変化し、相互に関係し合い、依存し合っているという**縁起の法**です。より具体的に説明すれば、例えば、現在この世の中に自分が存在するのは、両親がいるお陰であり、逆に両親がいなければ、自分も存在しないということです。別の例としては、太陽があるから私たちは存在でき、反対に太陽がなければ私たちは存在できないということです[3]。

図表2-1　人生の経糸と緯糸としての法則

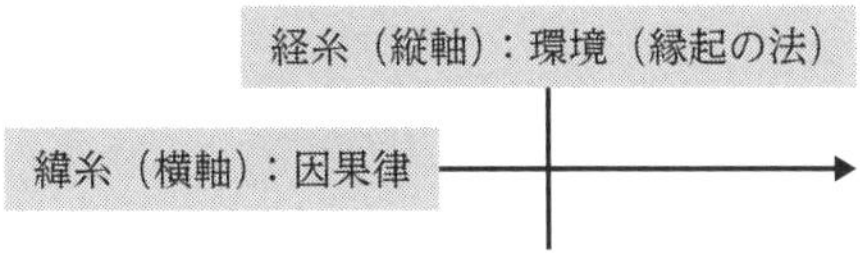

経糸（縦軸）：環境（縁起の法）

緯糸（横軸）：因果律

（出所）岩崎、前掲書、19頁。（一部変更）

　このように、自分を取り巻くすべての環境は縁起の法に従って縁によって生じ、縁によって変化し、相互に関係し合い、相互に依存し合っています。勿論、この環境には自分を取り巻く、例えば、自然環境、社会環境、経済環境などの**外部環境**と自分の年齢、性別や性格などの**内部環境**があります。これらの縁起の法によって生じている環境が、私たちが人生を生きる場合の前提となる経糸となるのです。

　なるほど、人生の経糸としての法則は縁起の法に基づく環境ですか……。

　そのとおりです。そして次に、人生というドラマを織りなす緯糸（横軸）としての法則は**因果応報の法則**すなわち**因果律**です。これは原因（因）としての考えや行動とそれに関連す

3　この観点から自己は時間的には両親、その先祖、哺乳類、魚類、単細胞生物などに遡ることによって無限の過去と関係づけることができ、他方、空間的には他の人、地域、国家、動植物、地球、宇宙に広がることによって無限の空間と関係づけられ、これらすべてが環境となり、現在の自己に影響を及ぼしています（岩崎勇『幸せになれる「心の法則」』幻冬舎、16-18頁）。

る縁（縁）との相互作用（**因縁和合**）によって、その果報としての結果（果）が現われるという法則です。すなわち、善い考えや行動には善い結果が現われ（「**善因善果**」）、反対に、悪い考えや行動には悪い結果が現われる（「**悪因悪果**」）ということです。別の表現をすれば、例えば、コスモスの種をまけばコスモスの花が咲き、米の種をまけば米が収穫できるということ、つまり**蒔いたとおりに花が咲き、その実を刈り取る**という非常にプリミティブな法則です。

すご〜い！　人生というドラマを織りなす経糸と緯糸の法則があるのですね！　そうすると、私たちは自分の人生というドラマを織りなす経糸としての縁起の法によって生じている環境を前提として、緯糸として**自分軸**⁴としての因果律に従ってどのような人生を送っていくのかということが哲学的に深く問われているのですね。このような人生の座標軸としての法則が存在していることを前提とすれば、いろいろな縁を大切にし、人間関係⁵の大切さや環境問題の重要性などを自分のこととして考えると同時に因果律に従って善いことだけを考えかつ

---

4 **自分軸**とは物事を考え、行動する場合、自分の価値観や評価基準を中心とする軸のことです。反対は**他人軸**です。
5 良好な人間関係は人生において最も重要な健康、成功や幸せのために非常に大切なものです。

行動するように努めることが大切なのですね。

　そのとおりです。

（3）　人生の目的

①　人生の目的

㋐　**人生の目的**

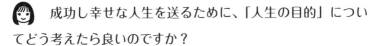　成功し幸せな人生を送るために、「人生の目的」についてどう考えたら良いのですか？

　それは非常に重要なテーマですね。人生哲学上最も重要な中心テーマの１つである人生を自分の力で切り拓き、またコントロールするための生き方を考える場合、今とその先の未来に目を向け、**人生の目的を設定すること**は最も重要であり、かつ決定的な影響を与えます。私たちは、**ハイデガー**のいう「**現存在**」（470頁）すなわち気付いた時には既に現に存在しており、自己の存在の意義を問うことができる存在です。それゆえ、「なぜ私たちはこの世に存在しているのか」「何のために生きるのか」という人生の目的を考えることが大切です。これに関して、具体的な「人生の目的」は100人100様で特定のものはないけれども、大きくまとめると社会貢献、幸せ及び自己や魂の向上などになります（図表２-２）。

図表2-2　人生の主要な目的

人 生 の 目 的	内　　　　　容
①社会貢献	世のため人のためという社会貢献のため
②幸せ	幸せになるため
③自己や魂の向上	自己や魂の向上のため

このように、人生の目的を抽象的に考えた場合には、ある程度共通のものが考えられます。すなわち、これらのものをまとめたものとして**人生の目的**は、図表2-3のように、心豊か[6]に自分らしい自己の個性[7]を生かしながら精一杯継続的な上への努力[8]によって進化向上[9]し、実り多く幸せな人生を送ること

図表2-3　人生の目的と自己実現・自己完成

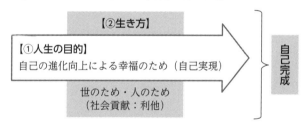

（出所）岩崎、前掲書、223頁。（一部変更）

6　**心の豊かさ**は慈愛、自他一如の考え方や当たり前のことへの感謝（完全感謝）などから生じます。
7　**個性**は短所ではなく、魅力や取柄であり、長所です。各人が持っている個性を伸ばしていくことこそが、人生においては非常に大切であり、自己の能力を最大限発揮でき、また社会貢献の源にもなります。
8　**努力**には、成長思考に基づく進化向上を伴う**上への努力**と、固定思考に基づく進化向上を伴わず同じことを繰り返す**横への努力**とがあります。
9　**進化向上**とは自己の人間的、精神的な成長のために自分なりの学びをすることです。

（「**自己実現**」）であり、同時に、この場合の**生き方**として利他心を持って、世のため人のためという社会貢献（「**自己実現即社会貢献**」）を常に達成していくこと（「**自己実現＋社会貢献＝自己完成**」）です。

　言い換えれば、人生の目的は心豊かに自己の個性を生かしながら、人間性や能力を進化向上させることによって成功し、実り多く幸せな人生とすると同時に、世のため人のために役立つことによって社会貢献することです。

　　それって、**マズローの「欲求五段階説」**（①：844頁）で言っていることと同じですか？

　　少し違います。すなわち、前者の**自己実現**（自利）は**マズローの「欲求五段階説」**で有名な西洋思想で中心的な考え方であり、また、わが国においても通説的なものとなっています。しかし、ここでは人生を切り拓くための**生き方**として、自己実現と同時に世のため人のためという**社会貢献（利他）**ということを掲げています。勿論、西洋流の自己実現もその概念の中に社会貢献的な考え方が一部に含まれていることは確かです。しかし、個人主義的自由主義を中心概念として掲げる西洋思想においては人生の目的における中心概念として**利他（社会貢献）**が明確には入っていません。この利他の考え方は東洋的な思想の中心概念の１つです。この思想を入れることは社会全

体のことを考えているので、思想としてはより深い概念となっており、また人格としてはより一層高いものになっています。

なるほど！　この**自己実現と社会貢献を常に同時達成**（自利利他）**を目指す**という**自己完成**の概念は東洋思想的なものなのですね！

そのとおりです。

⑦　**人生の目的の明確化の長所**

それとの関連で、「人生の目的の明確化」について何か長所はあるのですか？

先ほど少しお話したように、人生の目的は趣味や味覚と同様に人それぞれであり、特定のものはありません。しかし、このような明確な人生の目的を持つ人と持たない人との間には、長い人生において決定的に大きな違いが生じます（図表2-4）。より具体的には自分軸に基づき人生の明確な目的を持つ場合の長所としては、今とその先の未来を目指す習慣（未来志向）が身に付き、また未来に目的や幸せを設定すると、他人からのやらされ感がなく、自分事として内側から湧き出てくる**内発的動機付け**[10] に基づく**自己決定感**（②：297頁）があり、「……し

10　日本心理学諸学会連合心理学検定局編『心理学検定基本キーワード　改訂版』実務教育出版、101頁。

図表2-4　人生の目的の明確化の長所

ケース	人生の目的の明確化	人生の目的の設定なし
主体性	主体的・能動的	受動的
動機付け	内発的動機付け	外発的動機付け
感覚	自己決定感	やらされ感
習慣（志向）	未来を目指す習慣 （未来志向的）	過去や現在に目を向ける習慣 （過去・現在志向的）
思考・言葉[*1]	……しよう、……したい	……しなければならない
効果	・やる気が出る ・ポジティブになる ・経験を積める ・成長できる ・人生が充実する ・生き生きとする ・不安が減る ・心や身体が疲れない（充実感）	・やる気が湧かない ・ネガティブになり易い ・経験を積めない ・成長できない ・人生を後悔する ・怠け者になる ・不安になる ・疲れ易い（疲労感）
責任感	あり（自責的）	普通（他責的）
時間の使い方[*2]	密度の濃い充実した時間の使い方	普通の時間の使い方
生産性・効率	高い	普通
逆境力	レジリエンス（逆境力）が湧く	普通
コントロール感	人生の自己コントロール感	人生の他人コントロール感
達成手段	日々の地道な上への努力の継続	―
人生	明るく生き生きとし充実した人生	疲労感やストレスのある充実しない人生
幸福感・充実感[*3]	高い	高くない

[*1]：思考差、[*2]：行動差、[*3]：幸福差

たい」「……しよう」という主体的な思考や言葉となります。いわゆる禅で言われる「随所の主となれ」という状態になれます。この人生の目的の明確化によって、やりたいことをするのでそれが喜びとなり、ドーパミンが出て、その目的に向かって力が湧き、集中力[11]ややる気が出て、人生がワクワク[12]し、時間の使い方も密度の濃い充実[13]したものとなります。それゆえ、効率も高くなります。また、逆境などに遭遇した時に、レジリエンス（逆境力）が湧き、それを克服していけます。このように、自主的なやる気を出すためには、自己決定感のある自分自身での目的設定が非常に重要です。また、自分にはその目的を達成できる能力があるという**自己効力感**（セルフ・エフィカシー[14]）を持つことも大切です。

 なるほど、人生の明確な目的を持つと、自分軸に基づき

---

[11] **集中力を高める方法**として、例えば、明確な目標・計画を立てること、締切効果の活用、机の上の整理整頓、十分な睡眠や休息の確保、マインドフルネス瞑想などの活用、ライバルを意識すること、ゲーム化すること（ゲーミフィケーション）、ホーソン効果（①：833頁：注目されていることで、成果を出そうと力を発揮する効果のこと）などがあります。

[12] **ワクワク**は良い未来を想像している時のテンションが高い状態であり、快感ホルモンであるドーパミンが分泌されます。反対に不安などでテンションの高い状態が**緊張**であり、ストレスホルモンであるコルチゾールが分泌されます。

[13] 新しい**多くの記憶**が残るようなことが人生を**充実**させます。

[14] **自己効力感**（①：347頁）とは自己の能力に対して持っている「きっとできる」という自信のことであり、これが高い人は一般にチャレンジ精神が旺盛です。この自己効力感のある場合には、挑戦することにワクワク感を感じます。

人生を自分でコントロールしている感じ（「**人生の自己コントロール感**」）が湧き、生きる目的や力の原動力となり、人生が明るく生き生きとし、充実した幸せな人生となるのですね。そして、人生の目的という大きな夢の実現を可能にするただ1つの道は、東京五輪競泳代表の池江璃花子選手のように、努力は必ず報われると信じて日々地道に上への努力を続けることですね。

⑦　進化向上とヘーゲルの弁証法

　ところで、人生において直面する「問題や課題にどう対処したら良い」のですか？

　人生における問題や課題に対する対処法としては近代哲学におけるドイツ観念論[15]の完成者である**ヘーゲル**の**弁証法**がとても有用です。つまり、これは、図表2-5のように、ある意見や考え（**正：命題**）に対してこれに対立・矛盾する意見や考え（**反：反対命題**）が提示されると、その対立・矛盾する意見を切り捨てず、取り込み、新しいもう1段階高い次元のもの（**合：統合命題**）に統合（「**止揚**」：**正→反→合**）・解決する方法です（1462頁）。

15　近代哲学における**ドイツ観念論**はイギリス経験論と大陸合理論を統合したものであり、代表的な論者としてはカント、フィヒテ、シェリングやヘーゲルなどがいます（1145頁）。

図表2-5　弁証法

螺旋的な無限の進化向上

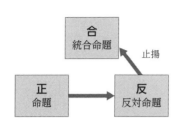

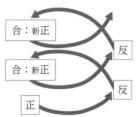

　これにより、**人生において生じる悩み[16]、問題や課題をより高い次元で解決し、人生を無限に螺旋的に発展させることができます。**この場合、対立・矛盾するものを切り捨てないで取り込み、**その対立・矛盾を超えることで進歩は生まれる**ということが特に重要で、すべてのものは対立・矛盾を通じて**スパイラル**に発展していくという考え方です。すなわち、これらの対立・矛盾こそが進歩向上を生み出すチャンスであり、発展の原動力となる重要なものです。このような弁証法の具体例として、例えば、お昼にパン（正）を食べたいというAさんの意見に対して、Bさんはハム（反）を食べたいという対立した意見がある場合、両者の意見を切り捨てずに、両者を合わせてハム

16　このような悩み、問題や課題は不幸なことではなく、自己の成長のためのチャンスです。

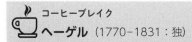

コーヒーブレイク
ヘーゲル（1770-1831：独）

　　ヘーゲルはドイツ観念論の大成者であり、『精神現象学』[17] など
を著わしました。弁証法によって絶対知と普遍的な真理を知る境地
に到達できると主張しました。

サンド（合）にするというようなものです。

　　すご〜い！この弁証法は新しいサービスや製品などを創
り出す場合に非常に有用な考え方であると同時に、人生におい
て**自己の悩みや問題を解決しながら自己の成長を目指す生き方
にピッタリと合った有用な考え方ですね！**

　　そのとおりです。

② 欲求、エゴと人格

⑦ エゴと人格

　　人生の目的と関係する願望や欲求に関して、「エゴ（自
我）と人格はどのような関係」があるのですか？

　　よく人間の**人格・人徳**ないし**器の広さ**ということが言わ
れますが、これらはその 1 つの重要な判断指標として**エゴ**（自

17　熊野純彦訳、ヘーゲル著『精神現象学（上）（下）』ちくま学芸文庫。

我）の観点から考えると、その内容がより一層明確になります。これらは**自我がより小さくなるほど**（反対に、**利他心や慈愛がより広くなるほど**）、**その人の人格や人徳はより高く、人間としての器はより広くなります**。言い換えれば、これは自己と他の人がどの位同一であるのかという自他一如感を持てるか否かに依存することになります。そして、自己と他の人が一体であると感じられれば、自分と同じように他の人を取り扱うという慈愛などの感情が自然に湧いてきます。

すなわち、この**一体感について、狭くは同じ家族、同じ会社、同じ国**などという考え方から、**より広くは同じ人間、同じ動植物、さらには同じ地球の構成物など**というように、どんどんと拡大していき、その広さに伴って人格や人徳がより高く、**器がより広くなります。**

よく理解できました。つまり、**我（エゴ）と利他心は、心の向きが反対向きをしており、エゴは心の向きが自分へ向いているのに対して、利他心は他の人々の方へ向いて心が開かれているのですね。**そして、輝く未来を切り拓き、成功し、幸せになるためには、できるだけエゴを抑え、利他心や慈愛を広く持つことが大切であるということですね。

そのとおりです。

⊘　エゴと欲求

 エゴと関連して、「五欲」ってどのようなものですか？

 エゴに基づく最も基本的な５つの欲求（「**五大欲求：五欲**」[18]）には、食欲・色欲・睡眠欲・財欲・名誉欲があり、この他に内的要素としての感情があります（図表2-6）。なお、最初の３つの身体に関連する欲求は**三大欲求**（「**三欲**」）とも呼ばれ、誰でも生まれながら本能として持っている最も基礎的な欲求で、種の保存のためにも必要なものです。

　私たちは生まれながらにしてこの五欲を中心とした欲望を持っており、また、外部との接触により刺激が生じた時に、その刺激に対して無条件に好き嫌い（「**快・不快の感情**」）についての

図表2-6　エゴと欲求

エゴ（自我）	（欲望＝執着）	内	心	感情	好き嫌いなど	
			体	三欲	五欲	食欲	・本能（自己保全） ・種の保存のため
						色欲	
						睡眠欲	
		外	—	—		財欲	お金など
						名誉欲	地位など

18　大修館書店『新版　禅学大辞典』361頁。

反応をするという**心の癖**[19] ないし**心の習慣**（薫習）があります。そして、好きなものには快感を、嫌いなものには不快感を覚え、好きなものは欲しがり、嫌いなものは回避したがります[20]。これらが上手くいった時には喜びます。反対に、上手くいかなかった時にはストレスや苦痛を感じ、悩みます。少し高度な話になりますが、**東洋思想ではこの心の癖に反応しない練習をすることによって心の冷静さが保て、心が自由になれる**と考えています。

 さすがに東洋思想は深いものがありますね！

そのとおりです。そして、自分自身が好きで、自分の心の状態が満たされていると感じている人は、図表2−7のように、一般に**自己受容感**[21]、**自己充実感**[22] や**自己肯定感**[23] が高く感謝もし易い状態にいます。この場合、一般にあまり強い欲求やエゴ的主張を持ちませんし、他の人への優しさ、慈愛や利他心を持つことができ、周りの人々へ幸せを分け与えることがで

---

19 **心の癖**は**メンタルノイズ**とも呼ばれます。

20 **心理的快楽説**に基づく**功利原理**（505頁）。

21 **自己受容**（①：348頁）とは自己の良い面や悪い面を含めて、ありのままの存在をそのまま受け入れることであり、その感情が**自己受容感**です。

22 **自己充実感・自己充足感**（①：347頁）とは自己の心が満たされているという感情のことです。

23 **自己肯定感**（①：347頁）とは多くの長所や短所を持つありのままの自分でよく、生きているだけで価値がある、という自己の価値や存在意義を肯定できる感情のことです。この反対概念は**自己否定感**です。

図表2-7　自己充実感と欲望

【タイプA】自己充実型（利他型）　　　【タイプB】自己不足型（エゴ型）

きます。このタイプの人は、例えば、自己実現や自己完成を目指すことなどのように、自分のあり方（being）に重きを置く**ビーイング志向**[24] であることが少なくありません。

　他方、自分の心が満たされていないと感じている自己肯定感が低い人の場合には、図表2-7のように、それを補完するためにより強い欲望が生じます。言い換えれば、自己の欠落した部分を埋め合わせるために、お金などの物や非物質的な地位や名誉（「**自己＋物＋地位名誉**」）などを得て、それを自己に付け加え（「**自己同一化**[25]」（identification）し）て、欲望を満たそうとします。この欲望によってエゴがより強くなり、それが現実社会で様々な形となって表面化します。

---

[24]　成瀬まゆみ監訳、イローナ・ボニウェル著『ポジティブ心理学が１冊でわかる本』国書刊行会、150頁。
[25]　吉田訳、前掲書、63頁。

それで、このタイプの人は、例えば、富や地位を得ることなどのように、所有すること（having）に重きを置く**ハビング志向**[26] であることが少なくないということですね。

そのとおりです。

⑦ エゴの種類と問題

関連問題で「エゴの種類とそれに基づく問題」にはどのようなものがありますか？

エゴの種類とそこから生じる**問題**には、狭いものから順に具体例として、例えば、自分についての自己中心主義とそれに基づく不正や犯罪など、自社の利益のみを追求する企業中心主義とそれに基づく企業不祥事など、欧米における白人による白人中心主義とそれに基づく人種差別など、人間による人間中心主義とそれに基づく地球環境問題などがあります。この本質はいずれもエゴから始まり、その組織や集団を自己同一化したものです。

よくわかりました。すなわち、エゴが原因となって現在の社会で多くの問題が生じていること、そして、これらの問題を解決するためには、エゴを上手くコントロールすることが大切であり、それゆえ、エゴをどのようにコントロールしていく

---

26 成瀬、前掲書、150 頁。

のかは、人生において最も重要な課題の１つであるということ
ですね！

　そのとおりです。

③　自己実現と自己完成

　人生の目的との関連において、どのように「欲求を満足
させたら良い」のですか？

　欲求充足法には、大きく西洋流の**自己実現型欲求充足法**
と東洋流の**自己完成型欲求充足法**があります（図表2-8）。

　前者については**マズローの欲求5段階説**（844頁）が有名で
す。この説では最も基礎的な生理的欲求から始まって、最も上

図表2-8　自己実現と自己完成

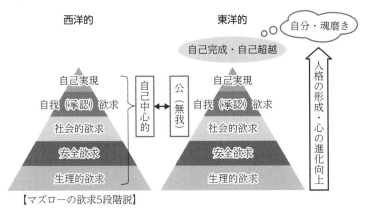

のものとして**自己実現**の欲求が掲げられています。欧米やわが国においてはこの考え方が主流の考え方となっています。他方、東洋流の考え方は自己実現のさらに上に、自己拡大や自己超越を意味する**自己完成**を挙げ、エゴ的な自己の枠を超えて、<ruby>公<rt>おおやけ</rt></ruby>を考慮した利他の考え方すなわち社会貢献が明確に掲げられています。この例として、例えば、会社は単なる利益追求の手段というよりも、「社会の<ruby>公器<rt>こうき</rt></ruby>」[27]であるというような考え方があります。

この場合、両者の明確な違いは**利他をその思考の基本に置くか**否かです。すなわち、前者の自己実現の考え方においても社会貢献などの考え方も一部には入っていますが、主要な考え方として利他は明確には入っていません。他方、後者の自己完成の考え方においては利他の概念が明確な主要概念として組み込まれています。

これらのうち、どちらの説を取るかで、その人の人格が変わります（図表2-9）。すなわち、豊かな人間性を持ち人格形成のなされた人格の高い人間とは、自己の欲求の実現を目指す自己実現型の生き方ではなく、利他の思考を持つ自己完成型の生き方です。

---

27 松下幸之助『松下幸之助 成功の金言365』PHP研究所、185頁。

図表2-9　自己実現と自己完成

欲求充足法	長　　　　所	短　　　　所
（西洋流）自己実現	・挑戦的　　・活動的 ・一般的	・個人主義的　　・自己中心的 ・争いが絶えないこと
（東洋流）自己完成	・社会、環境や動植物への配慮 ・利他的　　・調和的 ・人間性や人格の向上 ・慈愛的　　・公益主義的 ・視野が広いこと ・多くの課題を解決可能なこと	・大人しい ・挑戦的でないこと

　なるほど、そのような理由で、本当に**人生を変えたいのならば、土台としての人格を変え、高めることが大切である**、ということが言われるのですね。そして、この人格を高める生き方の具体例として、例えば、平成最高の経営者[28]と呼ばれる稲盛和夫のように、人格の高い利他の思考に基づく自己完成型の生き方があるのですね。

　そのとおりです。

２　成功できる人

　ここでは、人生の座標軸として重要な「成功の位置付け」や「成功・成長と幸せ」「成功できる人」「死生観」「夢・志」など

28　プレジデント社『プレジデント 2019,7,5 号』プレジデント社、2019 年、21 頁。

について説明しています。

（1）　成功の位置付けと「幸せ・成功サイクル」

👧　人生において「成功をどう位置付ければ良い」のです
か？

👴　世間では一般に**成功**し、**裕福**になることが非常に重視さ
れ、人生の最大目標の１つとされます。しかし、これは哲学的
には必ずしも人生の最終目的ではなく、幸せ（**幸福**）になるた
めの１つの手段として位置付けられます。その理由はいくら成
功しても幸せでない人生は満足できるものでないからです。す
なわち、**アリストテレス**も言っているように、**幸せ**は人生の最
終目的です。というのは、幸せは**最高善**ないし**最終目的の善**で
あり、幸せは決して他の目的の手段とならず、それ自体で善い
ものであるからです（1206頁）。しかも、幸せな人の方が常に
明るく、自然体で自己の最大の能力を発揮し続けられるので、
一般に成功し易い傾向があります。つまり、幸福な人には一般
に幸運で、成功し易い人が少なくありません。

　それゆえ、**拡張形成理論[29]**に基づき幸せを起点としてポジ

---

[29]　**拡張形成理論**とはポジティブ感情は思考、視野や行動を拡張させ、よりポジティブ
で幸せな状況を継続的に形成するという理論です。秋山美紀・島井哲志・前野隆司編
集『看護のためのポジティブ心理学』医学書院、39頁。

ティブに夢を抱き、それを追って継続的な上への努力をすることによって成功し、さらにその成功を原因として、それに感謝し、上機嫌となり、幸せになるという**「幸せ・成功サイクルを回す」**ことが大切です。

（2）　成功・成長と幸せ

その場合、人生における「成功」について、どう考えたら良いのですか？

成功の考え方には、大きく（一般的な）**社会的成功、自己的成功**と自己の成長という側面からの**成長的成功（人間的成功）**が考えられます（図表2-10）。

　一般に第①の例えば、お金持ちになることや社会的に高い地位の人になることなどの（競争的状況の下において他人との比較すな

図表2-10　成功の種類

	視　　点	備　　　　考	重　要　性
成	他人軸 ①社会的成功	一般的	重要（○）
	②自己的成功	個人的な夢の実現	より重要（○）
功	自分軸 ③成長的成功（人間的成功）	学び・成長*があればすべて許容 生涯成長し続ける人＝人生の成功者	最重要（◎）

＊：知性・人間性・精神性などの成長（☞人間性の向上や人格の完成など：人間的成功）

図表2-11　人間的成長の具体例

	具　　　　　体　　　　　例
人間的成長	・ネガティブ思考からポジティブ思考になること ・自利思考から利他思考になること ・人生と真剣に向き合うようになること ・新しい知識や技術が身に付くこと ・人の苦しみや痛みなど相手の気持ちが理解・共感できるようになること ・日常的なことにでも、感謝をすることができるようになること ・人間性の向上や人格の完成など

わち**他人軸**における）**社会的成功**が問題とされます。しかし、人生においては、第②の例えば、そば屋を開店し、商売をすることなどのように、（他人との比較をしない**自分軸**における）自分の夢を達成した場合には、それは**自己的成功**です。さらに、前述のように、自己の成長それ自体が人生の目的の重要な１要素となるので、第③の自己の人間的な成長[30] の側面における**成長的成功（人間的成功）**があります（図表2-11）。

　このうち人生の目的からどれが最重要かと哲学的に考えた場合、成長的成功が最も重要です。

　そして、この面からは日々向上心を持って新しいことに挑戦[31] し、人間性を高め、人格を完成することこそが人生で最も

---

[30]　**成長するケース**として、学習や経験、目標・夢の達成への努力、批判、逆境、失敗からの学びなどがあります。

[31]　新しいことに挑戦すると新しい刺激や経験が得られ、生活に豊かさが増します。

大切なものになります。このときには、自己が（法律や道徳に反することを除き）どんなことを行っても、すなわち社会的には失敗と思われることでも、その経験から何かの気付きを得、学ぶべきものを学んでいれば成長しているので、成長＝成功と考えられます。

　「成長を成功と考える」のですか？　初めて聞きました。

　そうです。そして、このように、人生における真の成功者は、社会的な成功者というよりも、自己鍛錬の一環として生涯成長し、人間的・精神的に自分を磨き続けられる人（「成長（し続ける）者＝人生の成功者」）のことをいいます。すなわち、人間的な成長をする生き方それ自体が、一番生き易い生き方であると同時に最も成功し易く、幸せにもなり易い生き方です。なお、心は、花などと同様に、自己が右肩上がりに成長している時には、心に栄養が与えられ、生き生きとし、心も強く、勇気も湧き、挑戦的になれます。しかし、成長が止まった時にはバイタリティがなくなります。それゆえ、明るく生き生きとし充実した人生を送るためには、**心は一生青春で成長し続ける**ことが大切です。

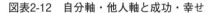

図表2-12　自分軸・他人軸と成功・幸せ

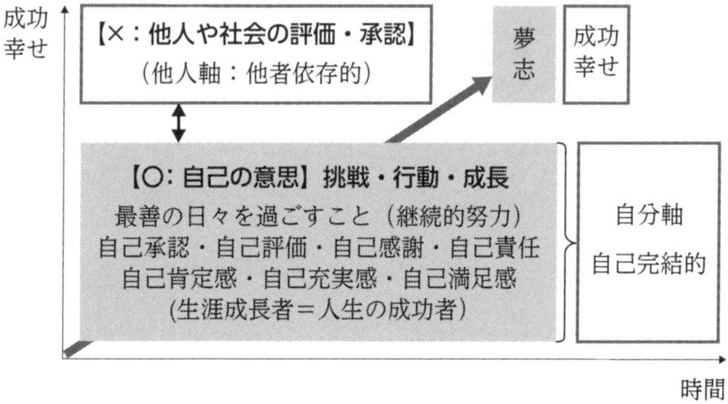

（3）　自分軸と他人軸

人生の生き方として他人軸ではなく、自分軸を基礎とすべきであるといわれますが？

そうですね！　人生における生き方としては、図表2-12のように、他人の評価や承認を気にしながら**他人軸**に基づいて生きる生き方と、他人の評価や承認を気にせずに、自分の価値観や信念を基礎とした**自分軸**に基づく生き方があります。この場合、後者の自分軸すなわち自分の自由意思という自己決定権に基づいて夢や志を設定し、それに向かって**日々最善の地**

32　植物の成長、例えば、木の根が歩道のアスファルトを持ち上げてしまうようなゆっくりではあるが着実な成長によって成果を出すことです。

道な上への努力[32] をし、密度の濃い充実した時間を過ごすことによって、夢や志を達成するという生き方の方がより大切です。

　これは**サルトル**の言う「**実存が本質に先立つ**」（1698頁）ということ、すなわち自己の「存在」が先にあり、自分は何なのかという「本質」は後から決まるので、まず自由に自己の目標を設定し、なりたい自分になって自己の本質を決めることができるということです。このようにあらかじめ目標を設定することで、時間の使い方が濃いものとなり、効果が上がります（**締切効果**）[33]。また、**小さな階段の原理**（スモールステップ）に基づき目標を細分化し、細分化された目標を階段を登るように１つずつ達成し、達成感に伴うドーパミンの分泌を活用し、やる気を引き出し続けていく方法が最も基本的で効率的な方法です。この場合、**自分への思いやり（セルフ・コンパッション**[34]）に基づき自己の努力を日々自分自身で承認し、褒め、自己に感謝していくことによって自己肯定感や自己満足感が得られます。

 　サルトルの言う「実存が本質に先立つ」ですか……?

　　　そうです。そして、その際に有用なもう１つの考え方は

---

[33]　**デッドライン効果**や**デッドラインテクニック**ともいわれます。
[34]　**自分への思いやり（セルフ・コンパッション）**とは、自己の努力を日々自分自身で承認し、評価し、励まし、褒め、喜ばせ、自己に感謝し、好きになることです。秋山・島井・前野、前掲書、112頁。

アドラーの言う**嫌われる勇気**を持つこと、すなわち法律や道徳を遵守することは前提としたうえで、本来の自己の良い個性を発揮するために人間関係において他人からの承認欲求を捨て[35]、他人や社会の評価や批判を基本的に気にしない[36] ことです。その理由はそれを気にし始めると、自己の人生の評価が外部の人や社会の評価に依存すること、すなわち他人軸になってしまい、その評価に傷付き、成長へのモチベーションを失う可能性があるからです。すなわち、他者の評価が自己の夢のドリーム・キラーとしてマイナスに作用することを避けるためです。また、人生においては人間的に成長すること自体が非常に重要なので、日々是好日と新しいことに挑戦し続けることこそが大切です。

これが本当の意味での自分軸に基づき主導権を持って自分で自分を成長させていこうとする生き方であり、そこにおいては、結果よりも東洋思想的な動機やプロセスを重視する考え方が大切です。従って、小さな階段の原理に基づき各プロセスに

---

35 岸見一郎・古賀史健『嫌われる勇気　自己啓発の源流「アドラー」の教え』ダイヤモンド社、132頁。

36 人の目が過度に気になる人や人に気を使い過ぎる人は、人に嫌われたくないということで**過剰適応**（②：107）している人です。このような人は人間関係で疲れてしまうことも少なくありません。そこで、このような人は「申し訳ないけど、……」といって自分の感情を大切にして適度に自己主張を行うことが必要です。

おいて毎日が部分完成的思考に基づき各点で成長し、幸せを感じ続けるという**点の連続体**です。このように、**自己の意思**を基礎とする自己完成型の生き方は外部の人や社会に依存しないので、**自己の信念が貫ける**と共に**自己の心が傷付くこともありません**し、自己の成長ができた時には幸せにもなれます。

なるほど、自分軸に基づく自己成長が大切であるということ、すなわち、それは**ニーチェの言う「超人[37]」**（1088頁）と

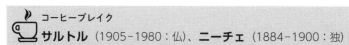

☕ コーヒーブレイク
サルトル（1905-1980：仏）、**ニーチェ**（1884-1900：独）

　サルトルは『実存主義とは何か』[38]などを著わし、実存は本質に先立つことや人間の運命は、（神の手中にではなく）人間の手中にあることなどを主張しました。

　ニーチェは実存主義の先駆者の1人であり、『ツァラトゥストラはこう言った』[39]などを著わしました。そして、現実の世界において新しい価値観を生み出そうとし、**超人思想**（強く生きる人のこと：何ものにもとらわれず、子供のように、やることを楽しみ、自己の意思を大切にする生き方をすること）、キリスト教を批判して「神は死んだ」などのことを主張しました。

37　どんなに他人や社会から批判されても気にせずに、自己肯定し、自己の意思を貫く
　　強い生き方をする人のこと。
38　伊吹武彦訳、サルトル著『実存主義とは何か』人文書院。
39　氷上英廣訳、ニーチェ著『ツァラトゥストラはこう言った（上）（下）』岩波文庫。

同様に、法律や道徳を遵守することは前提としたうえで、他者や社会の評価や常識などに囚われず、無邪気な子供のように、ワクワクしてすることを楽しみ、自己の目指す夢を追い求める生き方をするということですね。

　そのとおり、よくわかってますね！

（4）　成功できる人

　なぜ世の中には「成功し幸せに生きられる人」とそうでない人がいるのですか？

　それはとても重要なテーマですね。この問題は**自分の力で輝く未来を切り拓く生き方の全体像**を鳥瞰図的に示す哲学上最も重要なものの１つです。すなわち、この問題を哲学的に考えた場合、その理由は、図表２-13のように、右側から順に⑤**成功し幸せに**生きられる人は、④成功し幸せになるため

図表2-13　成功できる人

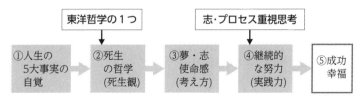

に、東洋思想的な志やプロセスを重視する思考に基づき、ワクワクし楽しく積極的で継続的な上への**努力**ができるからです。それではなぜそのような継続的で地道な努力ができるのかというと、③努力をするための**夢・志や使命感**がしっかり確立しているからです。

　また、なぜそのような夢・志が確立しているのでしょうか。それは②東洋哲学の1つである**死生の哲学**（「死生観」）**40** が確立しているためです。それではなぜ死生観が確立しているのでしょうか。それは①いわゆる**人生の5大事実**を明確に自覚しているからです。

　このような意味で、**「人生の5大事実」は輝く未来を自分の力で切り拓き、成功し幸せに生きるための出発点となる「人生における最重要な事実」**の一部です。

　🙂　そうですか。よくわかりました。つまり、**それらの事実をどれだけ明確に自覚し、その内容を実践できるかが、本当に輝く未来を切り拓けるか否かの分岐点**となるということですね。

40　人生は最終的には死に帰着します。すなわち人生は1回限りであり、人は必ず亡くなります。そして、いつ亡くなるかわからないという無相の価値観に基づき、反対にこの生命の儚さや貴重さ（わずか約100年の）一瞬の命への気付きや自覚から、この人生をいかに生きるべきかという夢・志や他人に対する慈悲心を持ち、今を全力で生きるという考え方です。

そのとおりです。

（5） 人生の5大事実

 先程の説明にあった「人生の重要な事実」にはどのようなことがあるのですか？

 いわゆる「**人生の5大事実**」として、**今、ここ、自分、一回性及び夢・志**があります。これらをしっかり自覚しておくことが成功し幸せな人生を送るための前提としてとても大切です。

① 今

㋐ **今**

 人生の生き方との関連で、なぜ「今」が重要なのですか？

 人生の5大事実において「**今**」ということは、人生においては**切断思考**[41] に基づき過去ではなく、常に**今を起点**[42] としてつまり初心の状態で、**常に心の状態を現在に置き、今という**

---

[41] **切断思考**とは過去からの連続ではなく、常に今新たに生まれたものとして今を新たな起点とするという考え方です。

[42] 今の状況を全面的に受け入れるために、今この瞬間現在の状況で生まれてきたものと仮定してということです。

瞬間をベストを尽くして精一杯楽しく幸せに生き切ることが最も大切であるということです。別の言い方をすれば、すべてのことに関して**一期一会や日々是好日**の精神で今を生きること、すなわち人と会う機会やその他のあらゆる機会はもう２度と来ないかもしれない貴重なものであり、また、ものを行うのに今日が最良の日であるという気持ちで、肩の力を抜き自然体でその時できるベストを尽くしてワクワクしながら楽しく生きることです。

㋑　理想的な心の状態

ベストを尽くして生きる場合、「理想的な心の状態」とはどのような状態なのですか？

最も理想的な心の状態としては、①**デフォルト・モード・ネットワーク（DMN）**[43] **による自動思考**[44] **に基づく雑念妄**

---

[43]　**デフォルト・モード・ネットワーク**（②：551 頁）とは、私たちが意識的に活動していないときに働く脳の回路のことであり、この時には、いわゆる**自動思考**によって頭の中で雑念妄念を漠然と考えています。しかも、この時の脳の消費エネルギーを多く使用している状態で、脳疲労、後悔や不安の重要な要因の１つです。この**自動思考の防止方法**が、マインドフルネス瞑想、ヨガや座禅などです。なお、これは悪いことばかりではなく、反対に閃きやアイデアのもたらす元でもあり、上手く活用した場合には、良い閃きが得られます。太田陽太郎訳、ウイリアム・ハート著『ゴエンカ氏のヴィパッサナー瞑想入門』春秋社。

[44]　**自動思考**（②：324 頁）とは、心を自然の状態にしておくと自動的に心に浮かぶ雑念妄念などの思考のことです。そして、後悔や不安などのネガティブ思考の多くは自動思考でなされています。

図表2-14　理想的な心の状態

理想的な心の状態	①自動思考に基づく雑念妄念である後悔や心配などの反芻思考によって、心が本来持っているエネルギーを不要にすり減らすことなく、穏やかで心地良い状態（平常心・自然体）
	②澄み切って現在のみに集中している状態（三昧）。対象になり切って心身を挙げて打ち込み、肩の力を抜き、平常心でワクワクしながら継続的にベストを尽くしている状態

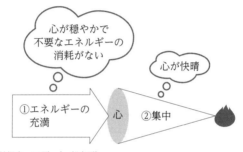

（出所）岩崎、前掲書、30頁。（一部変更）

念（つまり過去への後悔[45]や将来についての心配や恐怖などについての思い）を繰り返し考えるという**反芻思考**[46]によって、心が本来持っているエネルギーを不要にすり減らすことなく、穏やかで心地良い状態で、②意識を明瞭にし、肩の力を抜き、平常心で現在行っている物事にワクワクして意識を集中している状態です（図表2-14）[47]。

45　後悔は一種の過去への執着です。この**執着から解放される方法**として**リフレーミング**（①：917頁）などがあります。

46　鈴木祐『超ストレス解消法』鉄人社、203頁。

　このような理想的な心の状態を意識的に作り出せる方法（**理想的な心の創出法**）が今世界中で注目されているマインドフルネス瞑想、ヨガや座禅[48] です。これらによってメタ認知的に現在の自己の心を観察し、右脳優位的に心を現在に注意を向け、集中することによって過去の後悔や将来の不安[49] などの雑然妄念から解放され、ストレスを解消し、不要なエネルギーの消耗をなくします。こうすると楽しく、疲れませんし、良い閃(ひらめ)きやアイデアが浮かんでくることも少なくありません。言い換えると**脳が疲れる原因**は、シングルタスク脳[50] の状態で集中して頭を使っているからではなくて、むしろ左脳優位的な何気ない自動思考に基づく雑念妄念である過去の後悔や将来の不安などです。右脳優位的な状況である瞑想などは、この雑念妄念などを

47　物事に対する高い集中状態のことを一般に**ゾーン、エンゲージメント**ないし**フロー**（秋山・島井・前野、前掲書、222頁）と呼び、例えば、「ゾーン（状態）に入る」などといい、非常に効率性などが高い状態です。

48　**気持ちを落ち着かせる方法**としては、例えば、マインドフルネス瞑想、ヨガ、座禅、音楽、アロマテラピー、メタ認知、軽い散歩や運動、読書などがあります。

49　ネガティブ思考に基づく未来の不確実な状態についての恐怖が**不安**です。同じ将来の不確実性をポジティブ思考で捉えた場合は**ワクワク（楽しみ）**です。そして、このような**不安・心配や恐怖は妄想の暴走**している状況であり、これらは周知のとおり「百害あって一利なし」のものです。そして、このような将来の不確実性（曖昧さ）に対する耐性が**曖昧さ耐性**です。この曖昧さ耐性を高め、**不安・心配を消す方法（不安解消法）**としては、①**運動や瞑想**、②**筆記開示（エクスプレッシブ・ライティング、ジャーナリング**：鈴木、前掲書、66頁：不安の原因を書きだし、気持ちを整理し、楽にし、そのうち今できることをすること）、③**反論思考（「出来事→不安・心配→反論→不安・心配の消去」）**、④**「……と思った」法**、⑤**リフレーミング**などによって、ストレス・ホルモンの分泌を抑制する方法があります。

☕ マインドフルネス瞑想

　マインドフルネス瞑想（②：718頁）は、呼吸などに**意識を集中することによって、自分の感情に（判断を加えずに）気づき、雑念妄念を消していく方法のこと**です[51]。言い換えれば、これは今この瞬間を客観的・意識的に観察するものです。ここでは、**調身・調息・調心**が大切です。すなわち、座ってこれを行う呼吸瞑想（ブリージング・メディテーション）の場合には、背筋を伸ばし、姿勢を正して（調身）、目を（半分）閉じ、呼吸を整え（調息）、呼吸に意識を向け、**自動思考**を停止し、心で静かに今この瞬間を観察（調心）する方法です。もし自動思考によって雑念妄念が現われた場合には、観察に意識を戻すことによって、それを停止し、瞑想を継続します。この場合、自分の意識は明晰であり、一般に自分の感情をもう１人の私が観察するという心を客観的に見つめる方法である**メタ認知**を使用します。

　これによって、心に余裕が生まれ、自分の心をコントロールし易くなり、ストレスが軽減されます。また、心が安定し、集中力が付き、長時間頑張れるようになり、仕事のスピードや効率性が増します。なお、この瞑想の後、しばしば気持ちの良いスッキリ感や幸福感がありますが、これがマインドフルネス瞑想の効果です。また、このマインドフルネス瞑想の対象としては、**座禅**と同様に、呼吸瞑想の他に歩行瞑想など日常生活のすべてのものがその対象になります。

取り払ってくれるので、明晰な心でリラックスした状態で物事に集中できる理想的な心の状態を作り出すことが可能です。それゆえ、生産性や効率も非常に高くなります。

⑦　今に生きることと心身

 なぜ「心が今に生きる」ことが大切なのですか？

 私たちの**命**や**身体**は、今この瞬間を生きています（図表2-15）。これと同様に、**心**も今に生き、目の前に起きている事象に前向きに正対（せいたい）し、それに集中し、その時できるベストを尽くすことが大切です。このことによって、真の意味で密度の濃い充実した時間を過ごすことができ、その結果実り多い成果を上げることができます。私たちの命や身体が現象として生きているこの瞬間には今があるだけです。それゆえ心も今この瞬間を明るくベストを尽くして楽しく生きることが最も重要であり、過去や未来に生きてはいけません。

50　**シングルタスク脳**とは、例えば、ゲームに熱中している時のように、1度に1つのことに集中している脳の状態のことです。この状態において脳は、気が散らず、していることに一心不乱に没頭でき、三昧の境地でそのことを行え、それゆえ楽しく効率性も上がります。この反対概念の**マルチタスク脳**（鈴木、前掲書、68-69頁）とは、例えば、ながら勉強（TVを見ながら勉強など）をするというように1度に複数のことをしている脳の状態のことです。この状態では、2つのことを同時にこなすために、勉強→TV→勉強→TV……というように、脳に非常な負荷を掛けています。このような状態を脱出する方法に、例えば、マインドフルネス瞑想などがあります。

51　熊野宏昭『実践！マインドフルネス──今この瞬間に気づき青空を感じるレッスン』サンガ。なお、自分の感情に気付いていない時が**マインドレスネス**の状態であり、一般に自動思考によって雑念妄念が生じています。

図表2-15　命や身体と心の生き方

命や身体	現在に生きている	心	①過去に生きている	後悔や自責の念など	よそ見：雑念妄念：エネルギーの消耗
			②現在に生きている	現在のことに集中	三昧：心のすべてのエネルギーの活用
			③未来に生きている	不安や恐れなど	よそ見：雑念妄念：エネルギーの消耗

　言い換えれば、私たちは日常生活において多くの時間を現在ではなく、心の無駄遣い[52]として過去や未来に生きていることが少なくありません。しかも、それが楽しいことであればあまり問題はないのですが、現実的には過去についての後悔や自責の念すなわち「こうすれば良かった」と思い、反対に、未来についての不安や恐れすなわち「こうなったらどうしよう」と憂え、恐れることも少なくありません[53]。しかし、未来については誰も予測しえないものであり、それを恐れたり、不安に思っても何の解決にもなりません。すなわち、自動思考によって自分の心が迷走し、あれこれと雑念妄念に囚われ、フュージョン（熊野宏昭、前掲書、47頁）の状態に陥っており、自分の心を自分

---

[52]　人生の**４大無駄遣い**としてお金・時間・心・労力の無駄使いがあり、例えば、落ち込むことや、他人の性格など変えられないことを変えようとすることは心や労力の無駄使いです。

[53]　人間が時間を認識する場合、過去は記憶として、未来は期待として認識します。

で苦しめ、自己が本来持っている心のエネルギー[54]を不要にすり減らし、本来持っているエネルギーを十分に発揮できない状況となっています。

👧　よくわかりました。すなわち、一言で言えば、「過去を悔まず、未来を恐れず、明るく前向きにワクワクして今を全力で生き切りなさい！」ということですね！

👴　そのとおりです。

　㋔　**今への集中のメリット**

👧　今に心を集中し、全力を尽くすことのメリットは何ですか？

👴　それには多くのものが挙げられます。すなわち、ジェット旅客機の自動操縦のような自動思考を止め、離発着時のような少し緊張感のある明瞭な意識で現在していることに集中するという**心の今への集中のメリット**には、図表２−16のような多くのものが挙げられます。

　まず、心の**今への集中する方法**としては、例えば、呼吸法、マインドフルネス瞑想、ヨガや座禅などの方法があります。そして、心の**今への集中のメリット**には、第①に、集中・三昧で

54　プラスのエネルギーは陽気で明るい気持ちのことであり、楽しい、嬉しい、幸せ、ワクワクしている時などに高まります。

図表2-16　心の今への集中のメリット

メ　リ　ッ　ト		内　　　容
①集中・三昧	シングルタスク脳状態	脳の状態が目の前の1つのことにのみ集中している状態であること
	明瞭・雑念妄念なし	自動思考に基づく雑念妄念がなく、意識が明瞭であること
	集中・三昧・効率的・密度の濃い充実した時間	現在していることに集中し、三昧の境地にいられ、効率的で密度の濃い充実した時間や経験をすることができること
	レジリエンス（逆境力）	逆境時において雑念妄念による不要なエネルギーの消耗がなく、現在の状況に正面から対処でき、運命が拓け、成功や幸せになり易いこと
	ベストを尽くせること	ベストを尽くすと良い仕事などができ、成功や幸せになり易いこと
②楽しく幸せ	生命感を感じること	生命感を感じること
	楽しい	（後悔や不安などがなく）楽しいこと
	幸せ	（後悔や不安などがなく）幸せであること
③理想の状態	命や身体と同じ状態	命や身体と同じように、心も今に生きていること
	理想的状態	命や心身のすべてが今に生きているという理想的な状態であること

きること、すなわち、例えば、シングルタスク脳の状態で心が明瞭であり、雑念妄念がなく、意識が明瞭であること、目の前のことに集中・三昧でき、効率的で密度の濃い充実した時間が過ごせることができること、レジリエンス（逆境力）が身に付くこと、ベストを尽くせることなどです。第②に、楽しく幸せで

メリット		内　　　容
④健康の維持	免疫機能の活性化	呼吸法や瞑想などにより自律神経が正常化し、免疫機能が活性化し、本来持っている力を十分に発揮できること
解放・自由	⑤雑念　・雑念妄念からの解放	今に集中しているので、雑念妄念から解放されていること
	⑥苦　・苦からの解放（自由）・ストレスなし	今に集中しているので、後悔や不安などの苦から解放され、ストレスがなく、不要なエネルギーの消耗のないこと
	楽・負担が少ない	ストレスなどがないので、心への負担が少なく、健康でいられること
	⑦病　病からの解放（自由）	現在のことに集中し、それに気が向かっており、病を忘れているので、病から解放され、自然治癒力が働くので、病の回復が早いこと
	⑧エゴ　エゴからの解放（自由）	エゴによる思考（見られている私）を別の意識（見ているの私）が冷静に客観的に観察することによって、エゴから解放され易くなること
⑨気付き	気付きや悟り	今に集中することによって、気付きや悟りを得易くなること

あることです。第③に、理想の状態であること、すなわち心が命や身体と同じように、今に生きているという状態であり、理想的状態であることです。第④に、自律神経が正常化し、免疫機能が活性化し、自分が本来持っている力を十分に発揮でき、健康の維持が図れます。第⑤に、今に集中しているので雑念妄

念から解放されます。第⑥に、今に集中しているので後悔や不安などの苦から解放され、ストレスがなく、不要なエネルギーの消耗のないこと、すなわち苦やストレスがなく、楽で負担が少ないことです。第⑦に、現在していることに集中し、気がそのことに行っており、病を忘れているので、病から解放され、自然治癒力が正常に働き、病の回復が早いです。第⑧に、エゴによる思考（見られている私）を別の意識（見ているの私）が冷静に客観的に観察することによって、エゴからの解放が容易となります。第⑨に、深い瞑想などにより今に集中することによって、気付きや悟りを得易くなります。

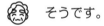 すご～い！　今に集中することには非常に多くのメリットがあり、これを活用して**夢や志は高く、今をひたむきにワクワクして生きる**ことが大切であるということですね！

そうです。

② ここ

人生の生き方との関連で、なぜ「**ここ**」が重要なのですか？

その理由は、目の前の自分が存在している場所に集中することが大切だからです。すなわち、現在は航空機、船舶や車

72

などの交通機関が高度に発達し、海外への移動も簡単にできる時代になっていますが、このようなグローバルな時代においても、人生の活動拠点としては現在今住んでいる場所で、かつ今いる目の前のこと（「**今ここ**」）に集中しなさいということです。それを**最 澄**的に表現すれば「**一隅を照らす、これ則ち国宝なり**」ということです。

③　自分

👩　人生哲学上「自分」について、どう考えれば良いのですか？

👴　**「自分の人生」という物語の主人公は**、上司や社長あるいは夫、妻や子供ではなく、**自分自身です**。それゆえ、他人のための人生を歩むのではなく、**自分自身の人生を生きる**ことが最も大切です。また、自分で生きる上で与えられた課題や問題を解決するのは自分自身であり、人生の生き方が問われています。そして、自分軸に基づき**自分で自分自身の人生のストーリーを描く**ためには、死生観を持ち、よく統 制されている自己であってかつできるだけ多くの情報を集め、自分の頭で深く考えることが大切です。この場合、特に重要なことは他人や世間からの期待やアドバイスに従うのではなく、**自分の最も深い**

73

ところにある潜在意識から発せられる内なる声や直感に従うことです。

 潜在意識から発せられる「内なる声や直感」ですか？

 そうです。内なる声は自分が本当になりたいものを知っています。この内なる声を得るためには静かなところで瞑想などをすることが良いでしょう。そして、自分らしいことを考え、自己の能力や趣味嗜好に合わせて自己の夢や希望を追うことです。なお、自己の能力についていわれのない**自己能力の自己限定[55] をしないこと**が大切です[56]。一生涯にわたって常に明るく前向きで積極的に新しいことに挑戦していくことが、成功し幸せになるためにはとても重要です。

④ 人生の1回性

　㋐ **人生の1回性**

 人生哲学上「人生の1回性」[57] は、どう考えれば良いのですか？

---

55 **自己能力の自己限定は**リミッターの設定、メンタルブロックやマインドブロックともいいます。
56 「これは無理！」という自己能力の自己限定は、意外かもしれませんがエゴの現われです。
57 **人生の1回性**には周知のように、人生は1回限りであることや人間は必ず亡くなることなどの真実を含んでいます。

それに関して、現在では食生活の向上や医療制度の一層の充実さらに私たちの健康意識の高まりなどの結果としていわゆる**人生 100 年時代**となりました。これは一見長いようにも見えますが、宇宙的な時間の観点からすればほんの一瞬でカゲロウのような 1 回限りのものです。それゆえ、人生は非常に
儚^{はかな}くかつ貴重なものです。このような人生の貴重さをしっかりと自覚して生きることが何よりも大切です。

　この場合、輝く未来を切り拓くための生き方に関して、図表 2-17 のように、「**人生の 1 回性**」**を基礎とした死生の哲学（死生観**[58]**）に基づく夢や志を持った「人間的な生き方」**と、それを持たない動物とあまり変わりのない「動物的な生き方」とがあります。

　動物的な生き方と人間的な生き方ですか……。

　そうです。それに関連して、古代ギリシャ・ローマの時代から**「死を想え」（メメント・モリ）**という有名な格言があり[59]、また、**ハイデガー**[60] も人間を**「死への存在」**（1352 頁）とし、

58　**死生観**とは死を前提として満足できる最高の人生とするために、自己の人生をどのように生きていくのかという考え方のことです。大久保秀夫『最高の生き方　幸せが訪れる「余命 3 カ月の発想」』ビジネス社。

59　荻野弘之『奴隷の哲学者エピクテトス 人生の授業──この生きづらい世の中で「よく生きる」ために』ダイヤモンド社、206 頁。

60　轟孝夫『ハイデガー「存在と時間」入門』講談社現代新書。

図表2-17　死生の哲学（死生観）と人生

項　　目	死　生　観　：　有	死　生　観　：　無
①意義	死への存在としての私というように、死を前提とし、悔いのない満足できる最高の人生とするためには、自己の人生をどのように生きていくのかという考え方のこと	
②前提	人生の1回性：必ず亡くなること	曖昧な認識のみ
③視点	終わりからの視点	現在の視点
④価値観	無相の価値観	有相の価値観
⑤気付き	人生の儚さ、尊さ、掛け替えのなさ	曖昧
⑥夢や志	夢や志の確立	無
⑦未来の姿	夢や志達成時の明確な未来の姿	曖昧
⑧生き方	人間的生き方：善く生きていく私	動物的生き方：生きられるから生きている私
⑨積極性	積極的	普通
⑩本気さ	本気で前向きの継続的な上への努力	普通の努力
⑪時間の使い方	密度の濃い充実した時間の使い方	普通の時間の使い方
⑫リーダーシップ	リーダーシップに役立つ	リーダーシップに役立たない
⑬逆境力	レジリエンス（逆境力）が強い	普通
⑭慈愛	慈愛的（儚さから）	普通
⑮人生	悔いのない満足した最高に幸せな人生	悔いのある充実感のない人生

このことを運命的なものとしてはっきり自覚するとき、本来的自己すなわち自己の主体性が回復され、人間的な自由や責任を自覚し、本当の生の意味がわかり、本気で束の間の儚い人生を悔いのない最高な形で生きられるとしています。

　すなわち、**ハイデガー**のような**死生の哲学（死生観）を持つ生き方**は、その**前提**について、人生は１回限りであること、人間は必ず亡くなるという真実を前提としています。これはただ単に頭で理解したことでは足りず、それが魂に触れ、本当にそれが心に受け止められ、自覚されることが必要です。このように**死と真剣に向き合って初めて本当の生の意味がわかり**、「もし今日１日しか生きられないとしたら、どのような１日を送るのか」という視点から毎日を本気で生きるものです。また、このような視点から人生全体を見直すものです。これは人間の死を見つめるという心的な外傷（トラウマ）後の人間的な成長（**「心的外傷後成長」**[61]PTG)によるものであり、生きる意欲を奮い立たせるものです。

　「心的外傷後成長」ですか？　少し難しい言葉ですね！

　そうです。これは少し難しい言葉ですが、非常に重要な

---

[61]　**心的外傷後成長**（ポスト・トラウマティック・グロース：**PTG**）とは、トラウマとなるような強い衝撃を経験した後に、人間として成長をすることです。秋山・島井・前野編集、前掲書、253 頁。

ものです。そして、死生観における**視点**については、人生の終わりからの視点であり、そこから１回限りの人生を全体として客観的に冷静に見つめるものです。この儚く貴重な人生を悔いなく満足のいくように生きるためには、どのように生きるかをしっかり深く考えることです。そして、そこでの**価値観**は、人生は最終的には死に帰着するという無相（むそう）の価値観です。

それゆえ、そこでの**気付き**として、死と真剣に向き合って、本当の生の意味がわかり、人生という生の儚さ、掛け替え（かが）のなさなどに気付きます。このことに気付けば、それに伴い悔いのない満足のできる人生とするために、どのような人生を生きたいのかという**夢や志**も確立し易くなります。すなわち、自己の一番深い本当の自己（潜在意識）が発する本当に何をしたいのかという内なる声や直感に従うことです。そして、これに基づく生き方としては人生の長期的な目標や方向性として夢や志を設定すると同時に、その目標に向かって今をベストを尽くして生きることができます。このように目標を設定することで、時間の使い方が濃いものとなり、効果が上がります（締切効果）。この場合、**未来の姿**については、努力とその先に夢達成時の明確な未来の姿があります。

 明るい未来の姿を思い描くのですね。

そうです。そして、**生き方**としてどのような人生なら満足できるのかということを熟慮することによって単に生きるのではなく、**ソクラテス**のように主体的に人生を**善く生きていく私**という人間的な生き方です。それゆえ、**積極的**な生き方ができ、毎日を**本気**で前向きの継続的な努力を積み重ねることができます。**時間の使い方**について、自己の夢や志の達成のために夢中になるとワクワクして自己のすべてのエネルギーを注ぎ込むことができるので、気合が入り、非常に密度が濃い充実した時間の使い方となります。その結果、素晴らしい成果が上がり、幸せになれます。これは、もしその人がリーダーだった場合には、その人に従う人を導くための**リーダーシップ**を発揮することに役立ちます。また、逆境などに遭遇した場合には、その逆境を克服するための力である**レジリエンス（逆境力）**が非常に強くなります。そして、人生の儚さに気付いているので、他の人々や動植物への**慈愛の心**が強くなります。

よくわかりました。このようなしっかりとした死生観を持つ生き方をすれば、悔いのない充実した最高に幸せな人生となるということですね。

そのとおりです。

㋑　**悔いのない満足な人生**

79

👧　人生哲学上「悔いのない人生」とはどんな人生なのですか？

🧓　人生において**悔いのあること**ないし**満足感のないこと**には、各個人によって種々のものがあり、統一的なものはありません。しかし、その代表的なものとして、例えば、幸せな人生でなかったこと、挑戦しなかったこと、諦めてしまったこと、人の目を気にし過ぎて本当の自己や個性を表せなかったこと、失敗したことや悪いことをしたことなどがあり、また反対に、**悔いのないこと**ないし**満足感があること**には、例えば、明るく楽しく幸せな人生だったこと、生きがい[62]や働きがいがあったこと、良い成果が得られたこと、社会貢献できたこと、人間性を成長させることができたこと、技術や知識が付いたこと、最善の努力をしたことなどがあります。このように人生を有意義で生きがいのあるものとしたいものです。そして有意義な人生とは文字どおり意義の有る人生ということであり、このためには自分軸に基づく自己にとって**最もコア（核）となる重要な価値観ないし重要なもの**（例えば、家族、幸せ、健康、夢・志など）を明確にし、それを特に大切にし、ぶれない価値観を持って生き

---

[62]　生きがいの代表的なものとしては、利他的な社会貢献を通じて感じる幸福感などがあります。

ることです。こうすれば、大切な人やものに囲まれた豊かで充実した人生が送れます。

　　なるほど、**貴重な人生において悔いのない満足感のある有意義な生涯を送るために最も重要なものは**、㋐自分の**最もコア（核）となる重要な価値観や重要なもの**を明確化すること、㋑**人生の有限性をはっきりと自覚し、死生観を確立して夢や志[63] を明確化**すること、㋒**人生の目的を明確化**すること及び㋓それを達成するために、ワクワクしながら楽しく**継続的な努力**をすることが大切であるということですね。

　　そのとおりです。

⑤　夢や志

　　人生の生き方との関連で、なぜ「夢や志が重要」なのですか？

　　夢や志は、恋愛と同じように、自分がどうしても達成したいと心に決めた目標や生きがいです。このような人生という物語に幸せなストーリーを描け、生きがいを明確化し、その目標達成に本気になることが大切です。このような人生の目的地

63　この対極にあるものが、社会貢献ないし利他の視点が欠如した自己実現のみの達成を目的とした自己のエゴのために何かを達成しようとする野望や野心であり、これは夢や志とは呼びません。

である夢や志を明確にする長所は、ドーパミンなどの幸せややる気ホルモンが多く分泌され、集中力ややる気が出るので、密度の濃い幸せな時間が過ごせ、生きがいのある充実した人生が送れると共に、ストレスや逆境に耐える力が格段に増すということです。この場合、夢を叶えるために、自分が理想としている人（ロールモデル）を真似ることも、世間では珍しいことではありません（モデリング（②：752頁））。この夢や志の特徴として、①社会のために役立つことをしようとしていること、②それをどうしても達成しようという信念が大切であることです。

　また、夢や志の２側面として、**①将来のビジョン計画**の側面として自己が将来において達成すべき目的や目標があり、**②現在のアクション（計画）**の側面としてそれを達成するために、長期思考に基づきベストを尽くして密度の濃い充実した時間を過ごすことがあります。

（6）　安心立命と六自力・六思力・三断力

① 　安心立命

😊　人生を「安心立命の境地で生きる」のには、どう生きれば良いのですか？

😄　良い質問ですね。人生を「**安心立命**」の境地で生きるた

めには、文字どおり安心と立命の両方の要素を満たした生き方
をすれば良いでしょう。まず人生を「**安心**」して生きるために
は、哲学上因果律に従うことです。すなわち、この法則は善因
善果・悪因悪果を示すものなので、善いことだけを考え、行う
ことが大切です。この場合、**善悪に関する最も一般的な基準
は、社会全体にとって平和・幸せ・繁栄に貢献することが善で
あり**、反対に、**これを阻害することが悪です。**

　それゆえ、心構えとしては本心良心に従って考え、行動する
ことが大切です。なぜならば、本心良心は社会的な平和・幸せ
や繁栄を思う心であり、反対側から見れば、社会道徳に反する
行為はしないという心を含んでいるからです。本心良心に従っ
て行ったことは、少なくとも良心の呵責がないので、安心し
て生きられます。

　他方、人生を「**立命**」すなわち天から与えられた命（使命感）
の境地で生きるためには、死生観と共に、六自力・六思力・三
断力に従って設定される夢や志であることが大切です。なぜな
らば、立命のためには天から与えられた使命を感じ取ることが
必要なので、死生観に基づく夢や志や自己の自由・自主性など
の六自力が必須であり、また、六思力に従って長期的・安定的
に考えることが大切であると共に、三断力に従って自ら判断

し、決断し、かつ断行することによって完成するからです。

②　六自力

　先程の説明で出てきた「六自力・六思力・三断力」って何ですか？

　これらについて順を追って説明しましょう。まず「**六自力**」についてですが、哲学的に考えて安心立命の境地で生きるためには、自分軸に基づいて**自己が持つべき六つの精神的な力**（「**六つの自己の精神力**」すなわち「**六自力：自由・自主・自律・自立・自尊・自燈という精神力**」）をしっかり持って幸せに生きることが大切です（岩崎、前掲書、98-100頁）。

　ここで**自由**（free）とは思考や行動を他からの強制ではなく、**自らの意志に由って**自由にしていこうという精神のことです。また、**自主**（independent）とはすべてのことを他によらず、内発的動機付けに基づき自ら主体的に考え、行動していこうとする精神のことです。そして、**自律**（self-control）とは刺激について直接感情的に反応せず、深い理性に基づいて自らを律して行動していこうとする精神のことです。

　さらに、**自立**（self-help）とは経済的な側面や思想などについて他に依存せず、自己の独立性を確保しながら考え、行動して

いこうとする精神のことです。また、**自尊**（self-respect）とは自己の存在価値を認め、自分自身に対して誇りを持ち、自己を愛し、尊重し、自己（そして他者）を大切にし、自己の品格において社会貢献するというような善いことを行い、社会に迷惑をかけるような悪いことを行わないように自己責任を持つ精神（**自尊心**：自分の生き方に対する精神的な自信）のことです。そして、**自燈**（self-lighting）とは正しい見識を持ち、よく自己統制された自分自身を拠り所として、本心良心に基づき自らの燈火で、人生の正しい方向性を照らし出し、決定していこうとする精神のことです。

　なるほど、このように、六自力を持てば、自己がすべての思考や行動の主体となってそれを行うことができるので、人生で生じるすべての出来事について、自己制御能力を発揮し、人生を自己のコントロールの下に置くことができる、ということですね！

　そのとおりです。

③　**六思力**

　続いて「六思力」について説明して下さい。

　六思力とは、人生において**正しい判断**を行うための**六つ**

の基本的思考法（「六思力：本質的・長期的・多面的・全体的・倫理的・無我的な思考法」）です（同上、101‐103頁）。第1に、物事を考える場合に、短期的な視点ではなく、長期的な視点から考えること（「**長期的思考法**」）が大切です。なぜならば、短期的思考法と比較して長期的な方がより持続的で、安定的で、より正しく適切な判断が行えるからです。

第2に、物事は個別的に細分化して個々バラバラに見るのではなく、一歩引いて全体的で俯瞰的な視点から、全体のバランスを保った形で考えること（「**全体的思考法**」）が大切です。すなわち、部分的思考法に基づき一部のもののみから発想する部分最適的な考え方ではなく、全体から発想する全体最適的な考え方です。このように、全体的に考えることによって全体として調和が取れ、より安定的で、正しい判断が行えます。

第3に、物事は一面的に1つの観点から見るの（一面的思考法）ではなく、多面的に多くの観点から考えること（「**多面的思考法**」）が有益です。なぜならば、これによって偏りを排除でき、よりバランスの取れた、安定的でより正しく好ましい判断が行えるからです。第4に、物事は表面的に見るの（表面的思考法）ではなく、より深く本質的な観点から考えること（「**本質的思考法**」）が大切です。これにより根本的な解決策などを見出すことがで

きるからです。

　第5に、物事は倫理的な観点から考えること（「**倫理的思考法**」）が大切です。すなわち、因果律、本心良心や善悪などの観点から物事を倫理的・道徳的に考えます。これにより、社会に迷惑をかけず、反対に社会へ貢献できる正しく適切な判断が行え、その結果として幸せで成功できるからです。第6に、判断に迷ったときは自我的思考法ではなく、無我的な観点から物事を判断すること（「**無我的思考法**」）が大切です。なぜならば、これによって社会全体的により調和し、平和で安定的な状況となり、全体として皆が幸せになれるからです。

　六思力のうち倫理的思考法や無我的思考法はあまり聞いたことがありませんが……。

　そうですね。でも成功し、幸せな人生を送るためには、これらは大切なものです。

④　三断力

　最後に「三断力」について説明して下さい。

　わかりました。まず、**三断力**とは判断力、決断力及び断行力のことです。ここで**判断力**とは物事の正しい判断を行う能力のことです。そして、三断力のうち正しい判断力が**最も重要**

です。なぜならば、判断は結果についての方向性を決定するからです。

　また、**決断力**とは物事を行うか否かを正しく決断する能力のことです。ここでも、正しい決断を行うことが大切です。この場合、決断は覚悟の現われです。人生はこの決断という意思決定が出発点になり、それを断行することによって実現されます。そして、**断行力**とは行うと決断されたことを実際に実行する能力のことです。いったん決断したことはどんな苦難に遭い大変であっても、人一倍の努力をして最後までやり通すことが大切です。この場合、中途半端で止めるのは残念で気分が良くないという心理である**ツァイガルニク効果**64 を活用したいものです。

　なるほど、私たちの人生は選択の連続であり、三断力を行使して、この瞬間に決断すれば、運命は変えることができ、どのような方向性を目指し、選択をし、実行するかで人生が決定されるということですね。

　そのとおりです。

64　**ツァイガルニク効果**（①：614頁）とは達成できなかったことや途中で中断していることの方を、達成できたことよりもよく覚えているという心理のことです。この始めたものは終わらせたい、ないし途中で終わると気持ち悪い、という心理を目標や夢の達成のために活用することができます。

図表2-18　事項の分類

> 関心事項：コントロール不能事項：他人の課題
>
> 影響事項：コントロール可能事項：自己の課題

⑤　物事の分類：関心事項と影響事項

👤　人生においてどのように「物事を分類し、考え、行動したら良い」のですか？

😐　これについて、次の2つの考え方があります。第1は、人生において発生する出来事などについて、全く分類をせずにその時の状況に応じて判断し、対応するやり方（**臨機応変法**）です。しかし、このような仕方では色々なものが混じっており、どのように対応すれば良いのかよくわかりません。

　第2は、すべての事項を関心事項と影響事項とに分ける方法（**関心・影響事項法**）です（図表2-18）。ここで**関心事項**とは自分が関心を持っているけれども、影響を与えられない事項のことです。そして、**影響事項**とは自分が興味あり、かつその状況を変えることができる事項です。すなわち、関心事項については関心があっても自分では影響を及ぼすことができないことなので、これらについては全面的に無条件に受け入れることがベストです。他方、影響事項については自分がそれらに対して影響

を及ぼし、コントロールすることができるので、自己にベスト
の結果となるように最大限の努力をすることが大切です。

　これと同様の考え方を古代ギリシャのストア派[65]の**エピクテ
トス**がしており、事項を自己がコントロール（統制や影響）でき
るかどうかで、①自己で変えられないこと（**コントロール不能事
項**）と②自己で変えられること（**コントロール可能事項**）に分ける
方法（**コントロール可能法**）です[66]。このように、自分軸に基づく
自己決定性のあるものとないものとに物事を分けて、あるもの
だけに欲求を限定し、ないものは諦めるものです。

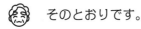 　これはとても有用な考え方ですね！　そしてこれは、ア
ドラーのいう自己の課題と他人の課題に分類し、処理するとい
う「課題分離法」と類似の考え方ですね！

 　そのとおりです。

（7）　宇宙観・勉強観・労働観

①　宇宙観

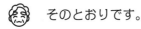 　話は急に広くなるのですが、哲学上「宇宙の最大の法

65　この禁欲主義的な**ストア派**から**ストイック**（欲求に左右されず、自己の基準を厳守
して行動すること）という言葉が出てきています。
66　これはコヴィーの**関心の輪**と**影響の輪**と同様な考え方です（スティーブン・コ
ヴィー『７つの習慣』キングベアー出版、101 頁）。

則」とは何ですか？

😄　この宇宙は次のような法則に従って運行されています。すなわち、第 1 の法則は東洋哲学的な考え方で**諸行無常の法則**です。すべての現象は固定的な実体を持たず、時々刻々と変化し続けているという法則であり、自然の摂理です。別の哲学的な表現をすれば、これは**空の法則**です。

　第 2 の法則も東洋哲学的な考え方で、前述の**縁起の法**です。すなわち、すべてのものは縁によって生じ、縁によって変化し、すべては相互に関連し、相互に依存しているという法則です。それゆえ、これは、人生において生じる多くの縁を大事にして、人生を送ることが大切であることを示しています。

👧　何か深〜いものですね！　このような宇宙の摂理、真理ないし法則を正しく知り、それに順応していくことが成功し、幸せになるためにはとても大切であるということですね。

😄　そのとおりです。

②　勉強観

　話は現実的なものに戻りますが、私たちが学校などで「何のために勉強するのか（「勉強観」）」について、どう考えれば良いのですか？

この**勉強観**については、主に次のような考え方があります。まず、**権利義務の観点**から**義務説**は、勉強は人間が人間らしい生活を送るために、最低限の教養を身に着けることが義務であると考えるものです。例えば、わが国の小中学校における義務教育などはこの例です。これは人間が人間として人間らしく生きていくために、最低限の読み書きや計算などができることが必須の義務であると考えるものです。

　他方、**権利説**は、勉強は人間に与えられた基本的人権の１つであるという考え方です。これは人間が人間として人間らしく生きていくために、最低限の読み書きや計算などができることは必須の権利であると考えるものです。

　他にも考え方がありますか？

　あります。例えば、**勉強の目的の観点**から基本的には自分がやりたいことをするために勉強をするということです。これにもいくつかの目的が考えられます。まず**教養説**では、勉強は自己の教養を身に付け、より豊かでより良い生活をするためにするという考え方です。また、**職業目的説**では、勉強は人間が生活をするために職業を得、それに役立てるためのものであるという考え方です。そして、**進化向上説**では、勉強は義務や職業のためというよりも、自己の向上心に基づく人間性の進化

向上のためのものであるという考え方です。最後に、**社会貢献**
説では、勉強は社会へ貢献するためのものであるという考え方
です。

　なお、現実には、これらの説のうち 1 つのみではなく、多く
の目的を持って、同時並行的になされるのが現実です。また、
この世の中で**最も有益で持続的で投資効率の高い（ノーリスク・**
ハイリターンの）投資は**教育投資**です。そして、この**教育投資**は
健康投資と共に人生における **2 大最重要投資**です。さらに、学
習などでは、人は期待されたとおりに変わっていくという効果
（**ピグマリオン効果**（②：643頁））があることが知られています。そ
れゆえ、大いに自分、子供、学生や部下などに期待をかけ、そ
の人を育てていきたいものです。また、勉強を効率的に行う方
法の 1 つとして、例えば、速さを競うというような勉強を**ゲー**
ム化（ゲーミフィケーション）する方法などがあります。

③　労働観

　　多くの人が社会で働いていますが、「何のために働くの
か」（「労働観」）について、哲学上どう考えれば良いのですか？

　　労働は作業の連続であり、自分及び傍を楽にするため
に、自己や他者に労働の成果を与え続けることであり、そして

図表2-19　仕事とその視点

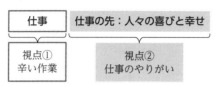

生きていく糧を得るための手段であると同時に、生存権の1つを形成しています。この場合何のために働くのかという**仕事への姿勢**である**労働観**には、次のような考え方があります。

　労働対価説は、図表2-19視点①のように、仕事そのものを見つめ、お金を稼ぐためすなわち対価を得るために働くという考え方であり、この考え方を持つ人も珍_{めずら}しくありません。従って、報酬は高ければ高いほど良く、反対に労働時間は短ければ短いほど良いと考えるものです。この場合、労働は対価に応じて働けば良く、モチベーションは主に報酬額の高低により変化し、本来それほど高いものではありません。

　また、**労働職人説**は、図表2-19視点②のように、仕事とその先にある人々の喜びや幸せを見つめ、労働を1人の職人ないしプロフェッショナル（専門家）としてのプライドを持ちながら働くと同時に対価も得るという考え方であり、多くの人に取られている考え方です。この考え方では自分の仕事を自己の作品

と考え、その作品で社会に貢献し、顧客に喜んでもらい、幸せにするためのものなので、仕事に対する責任感も強く、モチベーションもそれなりに高いものです。ここでは、通常報酬以上の貢献がなされています。

　そして、**労働使命説**は、図表２−19視点②のように、仕事とその先にある人々の喜びや幸せを見つめ、人生の一大事であるその仕事を遂行することが生きがいであり、天から与えられた自己の使命（「**天職**」calling）であると考えるものです。これは自己の深い潜在意識からの内なる声や直感という自己の心に従って、本当にやりたいことを発見し、その大好きで素晴らしく遣りがいのある仕事を、一生懸命心を打ち込んで行い、社会に貢献できる仕事に喜びを感じると同時に、多くの人々から喜ばれるものです。ここでは、報酬以上の多くの貢献がなされますが、その分物的報酬以上の多くの精神的報酬が与えられます。この説に該当する例として、例えば、中村哲（アフガニスタン復興支援者・医師）、S. ジョブス（アップルの創業者）などがいます。

　この考え方では自分の仕事を天から与えられた使命であり、その社会貢献を通して多くの人々に喜んでもらうためのものと考えるので、仕事に対する責任感も非常に強く、モチベーションも非常に高いものです。

労働観では、「仕事そのもの」と同時に、「仕事の先」も同時に考えることが大切なのですね。そして、素晴らしい仕事をする唯一の方法は自分のしている仕事を愛し、エネルギッシュにその仕事に没頭し続けるということですね！　そして、天職を見つけられた人は、仕事に非常に大きな喜びを感じながら幸せで満足した人生を送れますね！

　そのとおりです。

第3章

人生哲学

ここでは、成功し幸せで豊かな人生を送るために**有用な人生哲学**について述べています。この哲学を持つことによって**成功し、幸せで豊かな人生を送るためのぶれない人生哲学に基づく考え方と行動が行えます。**このために、因果律、健康、一切唯心造、慈愛などについて説明しています。

　ここでは「どのような人生哲学」を考えているのですか？

　人生において最も重要であると考える**人生哲学**の概要は、図表 3-1、3-2 のとおりです。

　輝く人生を切り拓くための哲学の対象となる主な項目には、例えば、**因果律、健康、一切唯心造、自他一如、慈愛、感謝、本心良心、積極性、潜在意識、空**があります。

1　因果律————————————————

　ここでは、成功し幸せに生きるために最重要な自己の主体的な行為法則としての「因果律」や「自因自果」などについて説明しています。

図表3-1　人生哲学の概要

項　目	摘　　要	概　　　要
①因果律	最重要な包括的真理	あらゆる現象に機能するもので、善因善果・悪因悪果を示すもの
②健康	人生の大前提	成功や幸せのためには、心身が健やかで良好であること
③一切唯心造	人生の決定	心の姿勢が人生のすべてを支配し、造り出しているということ
④自他一如	関係に対する理解	すべてのものは相互関係にあり、全体としては一体であるということ。慈愛・利他・和・シナジーの大元
⑤慈愛	動機としたとき万能薬	無条件で無差別の大きな愛のこと：すべての思考や行動の動機とすべきもので、あらゆるものに対する万能薬
⑥感謝	成功・幸せへの王道	すべての事象に感謝し、ポジティブに考え、行動すれば、成功し幸せとなれるというもの
⑦本心良心	判断基準	思考や行動の正しい判断基準・羅針盤となるもの
⑧積極性	心身の姿勢	人生に対する正しい心身の明るくポジティブな姿勢・生き方を示すもの
⑨潜在意識	夢の実現	上手く活用すれば、心に思い描いたとおりに夢が実現するというもの
⑩空	苦しみの処理	苦しみには固定的実体がないという正しい考え方とその対処法を示すもの

（出所）岩崎、前掲書、43頁。（一部修正）

図表3-2　人生哲学の概要

（全体）因果律			
（前提）健康	（全体）一切唯心造	（夢の実現）　　　　　　潜在意識	（全体）積極性
		（関係の理解）　　　　　自他一如	
		（動機・モチベーション）　慈愛	
		（成功・幸せへの王道）　感謝	
		（判断基準）　　　　　　本心良心	
		（苦からの解放）　　　　空	

（1）　因果律

輝かしい未来を切り拓く場合、人生の生き方における「最も根本的なもの」として、どのような考え方に基づいて行動すれば良いのですか？

これに関して、大きく２つの考え方があります。第１は特定の考え方や行動指針を持たずに、その時の状況に合わせた方法をその都度変えて生活する方法（「**臨機応変法**」）と、第２は自分軸に基づき自分自身の価値観を持って生活する方法（「**自己価値観法**」）です。

このうち臨機応変法を取る人も少なからずいます。一見この方法がその時の状況に応じて行動するので、良さそうに見えますが、実際はそうでもありません。その理由は、この方法による場合には、その時の状況に応じて他人や他の状況という他人

図表3-3　因果律

軸に振り回され、他律的な生活を送る可能性が高くなるからで
す。他方、後者の方法を取る場合は、自己の価値観という自分
軸に則してその時々の状況に対応していきますので、自律的な
生活が送れます。この場合、**人生を送る際の最もコア（核）と
なる最重要な考え方は前述の人生というドラマを織りなす緯糸**
としての「因果律」です。ここで**因果律とは因果応報の法則**と
も呼ばれ、原因（因）としての考えや行動とそれに関連する縁
（縁）との相互作用（**因縁和合**」）によって、その果報としての結
果（果）が現われるというものです（図表 3-3）。

　すなわち、善い考えや行動には善い結果が現われ（「**善因善
果**」）、反対に、悪い考えや行動には悪い結果が現われる（「**悪因
悪果**」）ということです。すなわち蒔いたとおりに花が咲き、そ
の実を刈り取るという極めてプリミティブな法則であり、それ
ゆえ、悪いことを行わず、善いことをしようということ（「**廃悪
修善**」）を推奨するものです。この場合、**カントの動機説**と同様
に、**善意志**によるもののみが善行とされます。また、**ソクラテ**

101

ス的な**魂への配慮**（984頁）すなわち魂を磨いて善く生きる[1]ことが大切です。

 すなわち、過去の因と縁で現状があり、現在の因と縁で未来の結果が現われること、つまり、因果律によれば、**現在の状況よりもその先のより良い未来になるための向上心とそのための努力の習慣**の方がより大切であるということですね。

 そのとおりです。

☕ コーヒーブレイク
カント（1724–1804：独）

　カントは18世紀のドイツ古典主義哲学（ドイツ観念論哲学）の祖です。『純粋理性批判』[2] などを著わしました。理性（大陸合理論）や経験（イギリス経験論）だけでなく、批判的に世界を問い直すことこそが重要であり、また、認識は対象に先立つと考え、認識論のコペルニクス的転回 [3] や五感で知りえる範囲のもののみが哲学上の認識の対象であり、それを超えるものは理性的認識の対象外であるという学問の範囲について認識革命を行いました。

---

1 このように、徳のある人となることのうちに幸せがあります（福徳一致）。
2 ここで「**批判**」とは対象となるものを否定することではなく、それを吟味するという意味です。篠田英雄訳、カント著『純粋理性批判（上）（中）（下）』岩波文庫。
3 人間は物をそのまま認識することができず、物が現われるとおりにしか認識できないと考えました。

図表3-4　因果律

+	①善因善果	②積因積果	③楽因楽果	④肯因肯果	自因自果
−	悪因悪果	消因消果	悲因悲果	否因否果	他因他果

　なお、この因果律は善悪の観点ばかりではなく、多方面に作用し、応用が可能です。例えば、図表3−4のように、**積極的（ポジティブ）か否かの観点**においても同様なことが言えます。すなわち、これは積極的に考え、行動すれば積極的な結果となり、反対に、消極的に考え、消極的にしか行動しなければ消極的な結果となるということ（「**積因積果、消因消果**」[4]）です。これは積極的に考え、話し[5]、行動することによって、脳が日常生活で生じる事象の中から積極的な面を探し、その結果気分も積極的となり、それに伴ってやる気が出、努力もできるので、積極的な結果が現われるからです。また、私たちは心の中に蓄積された情報によって、感じ方や考え方が変わってきます（**ABC理論**[6]）。それゆえ、普段から積極的に考えると共に心の栄養として積極的な情報や暗示をできるだけ意識的に選んで（「**積極的な情報の取捨選択**」して）心の中へ入れることが大切です。

4　これは積極因積極果、消極因消極果の略です。
5　それゆえ「始めに**考えありき**や**言葉ありき**」です。

同様に、**楽観的か否かの観点**からは、例えば、すべてのことは良い方向に進んでいるというように、楽観的[7]に考え、最高のパフォーマンスで行動すれば楽観的な結果となり、悲観的に考え、悲観的にしか行動しなければ悲観的な結果になるということ（「**楽因楽果・悲因悲果**」[8]）です。また、**肯定的か否かの観点**からは、肯定的に考え、肯定的に行動すれば肯定的な結果となり、否定的に考え、否定的にしか行動しなければ否定的な結果となるということ（「**肯因肯果、否因否果**」[9]）です。しかも、自分が行ったことはすべて自分にその結果が帰ってきます（「**自因自果**」）。

　　すなわち、輝く未来を切り拓くためには、最も基本的な自分の価値観として因果律に従って常日頃から善いことを思

---

[6] **ABC理論**（①：70頁）とは、図表3-5のように、A：出来事×B：潜在意識＝C：思考・感情、つまり出来事については心に蓄積された情報である潜在意識の内容によって、感じ方が変わってくるという理論のことです。この場合、Aの出来事は変えられないけれども、Bの潜在意識は自分で変えることができ、それを変えれば、自分の思考や感情も変えることができます。すなわち、BとCは自分でコントロール可能であるということです。

図表3-5　ABC理論

A		B		C
出来事 （コントロール不能）	×	潜在意識 （コントロール可能）	＝	思考・感情 （コントロール可能）

[7] 楽観的な時には、私たちの心や筋肉は緩んで自然体であり、本来の力が発揮できます。反対に、悲観的な時には、心や筋肉は緊張しており、本来の力が発揮できません。
[8] これは楽観因楽観果、悲観因悲観果の略です。
[9] これは肯定因肯定果、否定因否定果の略です。

い、明るく積極的に生きることが何よりも大切であるというこ
とですね。

　そのとおりです。

（2）　因果とは「因＝果」か

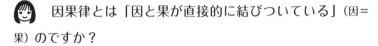

因果律とは「因と果が直接的に結びついている」（因＝
果）のですか？

　因果律はその名前から一見して**因＝果**のように考えられ
ますが、そうではなく、ある原因（因）と別の縁（縁）が相互に
関連しあって、その結果（果）を導き出すというものです。す
なわち、これを方程式で表せば、「**因×縁＝果**」ということで
す。この考え方は世間で一般に広く受け入れられています。例
えば、稲の生育で客観的に観察できます。すなわち、春に稲の
種を蒔き（因）、夏に水と肥料、気温と太陽を適度に与えること
（縁）によって、秋に頭をたれる稲穂（果）が育ちます。これは
きわめて科学的な結果であり、小学生でも理解している内容で
す。それゆえ、因の他に縁が結果に非常に大きな影響を及ぼす
こととなり、人間関係[10]や社会・環境との良い縁すなわち良好

10　人間関係については、表面的な浅い人間関係から魂と魂のつながり合った深い人間
　　関係まで様々なものがあります。できる限り深く良好な人間関係を築きたいもので
　　す。

図表3-6　他因自果と自因自果

原因の考え方	内　　　容	反省	改善	成長	成功（幸せ）
①他因自果 （他責思考）	他者や社会が原因で、その 結果が生じたと考えるもの	なし	なし	なし	困難 （なりずらい）
②自因自果 （自責思考）	自己が原因で、その結果が 生じたと考えるもの	あり	あり	あり	する（なる）

な関係を保つことの大切さが理解できます。

（3）　他因自果と自因自果

あることが上手く行かなかった時に、原因をどう考えた
ら良いのですか？

物事が上手く行かなかった時の考え方には、図表３-６
のように、他者や社会が原因でそのような結果が生じたと考え
る **他因自果の思考**（**他責思考**）と、自分が原因でそのような結
果が生じたと考える**自因自果の思考**（**自責思考**）とがあります。

　前者による場合には、自己に責任はないと考えるので、反省
をせず、思考や行動を変えることもありません。それゆえ、進
化向上も期待できません。他方、後者の場合には、自己に責任
があると考えるので、反省が行われ、その結果、次回には上手
くいくように改善し、努力します。その結果として一般に成長
や進化向上があり、成功し、幸せになれます。

106

2　健康

　ここでは成功し幸せな人生を送るための大前提としての「心身の健康」や「健康の４要素」などについて説明しています。

（1）　健康

①　健康

　👧　人生の生き方において「人生の最大の前提」には、どのようなものがあるのですか？

　👴　周知のように、人生の**最大の前提は心身の健康**です。これが確保されない場合には、成功し幸せな人生は成立しません。この健康に関して考えるべきことはまず**自然との関連**です。すなわち、人間は大自然の一部です。特に身体は自然そのものです。従って、大自然のルール（例えば、昼に労働などで活動し、夜は休むことなど[11]）に従って生きることが人生において健康に生きる生き方として正しいものであり、本来的で真実の姿でもあります。自然の法則に従えば、健康であることが正常なことです。病気であるということは、自然の法則に従わず、バランスや調和が保たれていない証拠です。この自然の法則に従っ

11　夜行性の動物は除きます。

て生きるという考え方を哲学上**自然随順の哲学**と呼びます[12]。また、よく「自然に帰れ」といわれるように、自然に親しむことも大切であり、観葉植物を部屋に置くだけでも癒しや楽しみとなります。

②　2つの生命の力

健康に関連して、哲学上「どのような生命の力」を考えているのですか？

健康を考える場合、私たちは**2つの生命の力によって生きています**（図表3-7）。第①に、大自然からの光・空気・水などの生物を生かす力（**大自然の力**）によって私たちは**生かされています**。これは受動的で他力の側面であり、生存の側面に関連し、人生において必ず確保すべきものです。それゆえ、この側面から言えば、前述のように、自然に感謝し、自然の法則に従って生活することが大切です。つまり、自然の法則から遠ざかれば遠ざかるほど不健康となり、健康を害するようになります。例えば、夜働いて昼に寝ているような生活を長年過ごすと一般に病気になりやすくなります。

---

[12] なお、これと同様に、（感染症などを除く）生活習慣病などの病気は、私たちの普段の身口意（行動、言葉及び考え）が本来の私たちの自然随順的な生き方に反している時にもたらされると考えられます。

図表3-7　2つの生命の力

①生かされている力	大自然からの光・空気・水などの生物を生かす力	大自然の力（他力）必ず確保することが必須	受動的側面	生存の側面
②生きていく力	自分の意志で生きていく力	自分自身の力（自力）	能動的側面	生活の側面

　第②に、私たちは自分自身の**自由な意思によって生きていく力を持っています**。これは能動的で自力の側面で、また生活の側面でもあり、人間らしく自己の意思に従って明るく積極的に自由に行動することができます。

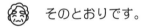　つまり、人生においてこれらの2つの生命の力をバランスよく保ち、健康的に生きていくことが成功や幸せのために大切であるということですね。

　　そのとおりです。

（2）　健康の2側面

　　私たちが考慮すべき「健康の側面」には、どのようなものがあるのですか？

　　健康の側面としては、**心**と**身体の健康**の2側面があります（図表3-8）。

　自己の夢や志を達成していくためには、心身両面が健康であ

図表3-8　健康の2側面

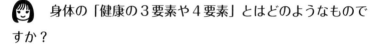

2側面	内　　　　容	
①心	精神的な健康	常に明るく心豊かで、挑戦的で、健全であること
②身体	肉体的な健康	栄養・運動・休養のバランスが取れ、良好であること

ることが大前提となります。

（3）　健康の4要素

身体の「健康の3要素や4要素」とはどのようなものですか？

一般に身体の「**健康の3要素**」としては、栄養・運動・休養の3つです。

図表3-9のように、これに心の健康を加えて**心の健康・栄養・運動・休養**としたものが身体の「**健康の4要素**」です。私たちが健康で楽しく充実した人生を送るためには、その前提としてこの健康の4要素が必須です。現代病である生活習慣病の多くがストレス、食べ過ぎ、運動不足ないし休養不足などから生じていることを考えると、この健康の4要素を配慮して生活することは非常に重要であり、心身の健康を守ることは自分の責任です。また、認知機能の維持のためには、周知のとおり、社会参加としてのキョウイク（今日行くところがあること）とキョ

図表3-9　健康の4要素

身体の健康の4要素	(1) 心の健康			【社会参加】認知機能の維持のためキョウイク（教育?）とキョウヨウ（教養?）
	(2) 肉体の健康	栄養	バランスの良い食事	
		運動	適度な運動	
		休養	適度な休養	

ウヨウ（今日用事があること）が大切です。以下では、これらの内容について具体的に説明していきます。

① 　心の健康

　　身体の健康を考える場合に、なぜ「心の健康が問題となる」のですか？

　　それは、身体の健康を考える場合には、その前提として心の健康を考えることが大切だからです。その理由は、周知のように、例えば、緊張[13]すれば心臓がドキドキし、怒れば頭に血が上り、悲しめば意欲やバイタリティがなくなります。このように、心に感じたことは瞬時に身体に影響を及ぼし、その結果が身体に表面化します。これらの場合は、心の状況（原因）

---

[13]　緊張を解き、精神を安定させリラックスする方法（**緊張緩和法・精神安定法・リラックス法**）には、例えば、マインドフルネス瞑想、呼吸法、座禅、筋弛緩法（②：172頁：身体の全筋肉を数秒間ギューと力を入れ、緊張させて、次に全身の力を抜き、スーという脱力感を味わう方法）、運動、散歩、ポジティブ言葉使用法、自己宣言（アファメーション）などがあります。

が身体に（結果）瞬時に影響（「**身体症状**」）を及ぼすこととなるので、身体の健康を保つためには、川上管理としてその大本である心の健康を保つことがポイントです[14]。この場合、**心は常にできるだけ穏やかであること**が大切です。なお、心の健康は日常生活において肉体の健康以上に大切で、**身体の健康を維持するためには、心の健康が必須で大前提となります。**

 「心の健康を保つための方法」には、どのようなものがありますか？

　心の健康維持法には、例えば、㋐日頃からマインドフルネス瞑想などによって心を緩め、穏やかで安定させていること、㋑常にネガティブなことは考えず、明るくポジティブ[15]なことだけを考えるというハッピー眼鏡をかけること、㋒すべての現象は空相であると諦観することなどがあります。

② 栄養

健康のために「栄養」はどのように考えたら良いでしょ

14　心が身体に影響するのと同様に、身体も心に影響を及ぼします。これを**心身相関**（②：397 頁）といいます。

15　なお、**ポジティブ感**とは前向きなワクワク感であり、**心をポジティブにするための方法**として、例えば、瞑想、適度な睡眠、運動、整腸、３つの良いこと法（スリー・グッド・シングス：毎日３つの良いことを書きだす方法：鈴木、前掲書、270 頁）などがあります。

うか？

　身体の健康を維持するためには、周知のように、適切な食事をし、十分な栄養を取ることが大切です。すなわち、できるだけ多くの種類の食物をバランスよく適量食べることです。なお、**身体の栄養は食物です**が、**心の栄養は積極的な思考や言葉による暗示など**です。

　心の栄養ですか……?

　そうです、身体と同時に心の栄養もとても大切です。なお、**幸せホルモンといわれるセロトニンは腸¹⁶で作られる**ので、免疫力を強化し、精神を安定させ、ストレスを軽減し、幸せになるためにも、適切な食事や適度の運動などによって腸を絶好腸（ぜっこうちょう）の状態に保つといういわゆる**腸活をすること**が大切です。

③　運動

　健康のために「運動」はどのように考えたら良いでしょ

16　腸は**第２の脳**とも呼ばれ、脳との関係が深く、両者は**脳腸関係**とも呼ばれます。そして、脳の調子が良いと腸の調子もよく、反対に悩み、不安やストレスがあると腸の調子も乱れてきます。また、この腸は免疫機能の約３分の２を担い、アレルギーの予防にも大きな作用を果たしています。そこで、いわゆる**腸活**によって腸の健康を保つことが大切です。このためには、運動の他に、食物繊維や発酵食品などを十分に摂取し、**腸内フローラの状態を**善玉菌が多い状態でかつ多種の菌による多様性のある状態に保つことが大切です。反対に、運動不足やストレスなどは腸の調子を悪化させます。

うか？

　　　周知のように、日々の生活において適度の運動を行うことは、心身の健康の維持のために非常に有効です。また、運動は頭の疲れを身体の疲れに転換して、質の高い睡眠をもたらし、頭の疲れも解消します。さらに、健康寿命を延ばすためにも、**運動習慣**を日常生活とするという**運動の習慣づけ**を行いたいものです。そして、日々敢えて限界まで負荷をかけ、追い込んで、筋力の増強を図ることによって、いつでも自分自身で生活が自由にでき、高い生活の質（quality of life：QOL）を維持（「**健康寿命の保持**」）しておくことが大切です[17]。すなわち、単なる量的な寿命ではなく、**寿命の質**として健康寿命に着目することが必須です。さらに、気づいている人は少ないかもしれませんが、**健康維持のためには歳を取れば取るほど、むしろ定期的に適度な運動をすることが決定的に重要なものとなってきます**。健康投資はノーリスク・ハイリターンの投資であり、若いうちから継続して行うことが大切です。それゆえ、**日常生活においても身体はこまめに動かすこと**がポイントとなります。

17　高齢などによって心身の活力としての運動機能や認知機能などが衰えると**フレイル**（虚弱や老衰などのこと）と呼ばれる老い衰えた状態になります。また、筋肉量が減少することによる身体機能の低下状態（**サルコペニア**）も高齢者に少なくありません。これらを予防するためには、健康の4要素の確保と共に認知機能を維持するために社会参加が有効です。

日常生活において身体をこまめに動かすことですか……?

　そうです。そして、このような散歩、ジョギングや体操などを始めとした**運動[18]のメリット**としては、㋐健康増進、㋑やる気が出ること、㋒集中力や記憶力が上がるので頭が良くなること、㋓メンタルが安定し、ストレス耐性が付くこと、㋔幸福度が上がり、ポジティブになるので性格[19]が良くなることなど様々なものがあります。

④　休養

　健康のために「休養」はどのように考えたら良いでしょうか?

　これに関して、日常生活において仕事の合間や仕事の後に、適切な休息[20]を取り、楽しいことや好きな趣味[21]などに熱中し、ストレスを解消することは心身の健康のために極めて重

18　手足を動かす運動は脳を刺激し、やる気がでます。なお、軽い体操・ストレッチは、特に普段使用しない筋肉をよく伸ばし、**痛気持ち良い**くらいの運動が適切です。
19　**性格改善法**には、読書、運動、モデリング、ABC理論、反論法、リフレーミング、積極的暗示法などがあります。
20　私たちは、例えば、休息や睡眠中などのように、副交感神経が優位な時には**リラックスモード**であり、反対に、例えば、仕事に集中している時などのように、交感神経が優位な時には**活動モード**です。
21　**読書**はストレスの解消、収入の増加、長寿の基となるなど最強の習慣の1つです。

要です。なお、休養法には**積極的休養法**（**アクティブレスト**：軽く体を動かすことによって、血流を良くし、疲労物質を効率的に排出する休養法のことで、主に精神的な疲労回復時に採用されるもの）と**消極的休養法**（**パッシブレスト**：休みや睡眠などによる休養法のこと）があります。

へーえ、「積極的休養法」もあるのですね！

そうです。このことについて知っている人は少ないかもしれませんが……。また、睡眠に関して周知のように、適切な睡眠は快適な日常生活、心身の疲労回復や記憶の定着などのためにも必須なものです。この場合、深いノンレム睡眠ほど、心身の疲労回復や成長のための成長ホルモンが多く分泌されます。**快適な睡眠**のためには、一般に、例えば、㋐規則正しい生活、㋑朝の日光による体内時計の調整、㋒適度な運動、㋓就寝2〜3時間前までの食事、㋔就寝1〜2時間前の入浴などが大切です。これによって夜間に睡眠ホルモンであるメラトニンが十分に分泌され、快適な睡眠と昼間に酷使した身体の細胞の修復がなされます。

　周知のように、現代の私たちの生活は科学技術の高度の発達のために、パソコンやスマホなどで頭を使うことが増加し、反対に車やエレベータなどの恩恵によって身体を動かすことが少なくなりました。このような状況の下で、身体の疲れは睡眠を

促進しますが、頭の疲れは睡眠を阻害します。その結果睡眠の質が昔と比較して少しずつ落ちています。この頭の疲れを解消し、心を落ち着かせるのに最も良い方法は運動や瞑想です。

　このように、十分な睡眠と適度な運動はドーパミンの分泌量を増やし、集中力ややる気を起こさせ、生活を明るく積極的なものとします。

（4）　ストレスと解消法

　　現代のストレス社会で、どうすれば「ストレスを軽減し、解消できる」のですか？

　　一般に**ストレスは万病の元**であり、身体と心の双方を蝕む可能性があり、一般的にはない方が良いとされています[22]。このストレスに耐えられる力を**ストレス耐性**と言います。そしてストレスに気持ちが負けない状態が、ストレス耐性が高い状態です。このストレス耐性の高い人と低い人との違いがストレスに強いか弱いかの違いを生じさせます。このストレス耐性を高め、ストレスを軽減する方法（**ストレス軽減法**）には、例えば、**深呼吸、マインドフルネス瞑想、適度な運動**（レジリ

---

[22]　ストレスなどから逃げようとする反応のことを**闘争 - 逃走反応**（日本心理学諸学会連合、前掲書、292 頁）といい、反対に物事に挑戦しようとする反応を**チャレンジ反応**といいます。

エンス・ウォーキング[23])や**機嫌が良いこと**などを始めとして、種々の方法があります。

 もう少し具体的に説明して下さい。

 わかりました。まず**ストレス・コントロール可能法**ですが、これはストレスはコントロール可能であると考える方法です。ストレスはコントロールできるものであると考えること自体がストレス軽減になります。そして、ストレスの原因を考え、その**原因を取り除く**努力をし、それができれば、ストレスは消えます。次に、**役割・課題の自己目的への転換法**があります。ストレスの根本原因の１つは我であり、考え方や思考の問題です。**仕事などの対象の側に客観的な真実があるのではなく、主体の側に主観的な真実がある**ので、他人からそれをすることを半強制的にやらされているというやらされ感がある時にはストレスがかかり、反対に、自ら主体的・積極的に物事に取り組んでいる時にはストレスが軽減されます。それゆえ、自分の役割・仕事としてすべきことについては、その役割を自らの目標[24]へ転換（「**役割・課題の自己目標への転換**」によって自己決定感を得ること）し、自ら主体的にそれを行うこと、しかもそれに興

---

23 鈴木、前掲書、200 頁。
24 このような目標の設定に伴い**やることリスト（ToDo リスト）**を活用することもあります。

118

味を覚え、やることを楽しむことがストレスなく仕事をこなす
ポイントです。

　また、**マインドセット効果活用法**があります。これはストレ
スに対する考え方をポジティブにすることによってストレス耐
性を高める方法です。つまり、ストレスが悪いと考える（「**ネガ
ティブ・ストレス・マインドセット**」）のか、ストレスには良い作用
もあると考える（「**ポジティブ・ストレス・マインドセット**」[25]）のかの
違いです。このうちどちらの思考パターン（マインドセット）を
採用するかによって、その結果に大きな影響が現われます（**マ
インドセット効果**）。

　そして、**ポジティブ思考法**（**ポジティブ・シンキング**）は積極的
態度を持つことによってストレスを軽減する方法です。すなわ
ち、ポジティブな思考（ポジティブ思考）、言葉（ポジティブ言葉）
や行動（ポジティブ行動）がストレス耐性を高め、ストレスの少
ない世界で暮らせるようになります。

 　いろいろな方法があるのですね。

 　この他にもいろいろありますよ。

25　鈴木、前掲書、145頁。

（5） 生活と生存

ところで、私たちは「健康をどのような視点」から捉えれば良いのですか？

良い質問ですね。私たちは通常、日常的な生活をできるだけ快適に、できるだけ楽に過ごし、できるだけ美味しいものを食べて生活しようとしています。ここでは通常、生活という感情や感覚の視点のみで考え、行動しています。これは日常生活を快適に楽しく楽に生きるという**生活という視点**のみから考え、行動しているので、単眼的に生きているといえます（図表3-10）。このような視点からすると、健康に良くないことも気づかずに平気で行うことも少なくありません。そこで健康的な生活をするためには、**生存という視点**を導入し、健康意識の高い複眼的な人生にしたいものです。

このように、健康を生存（深い理性・真理）と生活（感情）の2

図表3-10　生活・生存と健康

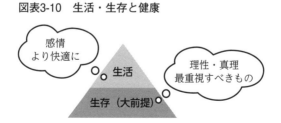

つの視点（「**複眼思考**」）からバランスよく捉えることが重要です。そして、この場合、生かされているという側面である生存の方を常に最優先すること（「**生存優先の原則**」）が大切です。言い換えれば、生きているという側面である生活を優先していては、健康は維持できないということです。食事、睡眠及び運動などの生活習慣を原因とする生活習慣病の多くのものは生活を優先し、生存を軽視した結果として現われたものです。すなわち、周知のように、非常に厳しいことですが、真理・法則は人間の感情や事情などを全く考慮せず、法則とおりの結果を導くということです。

 私、これまであまり「生存の視点」について意識してこなかったです。これからは、何ものにも代えがたい貴重な自分の身体を、複眼思考に基づき生存と生活のバランスを保ちながら自分で健康に保ちたいと思います。

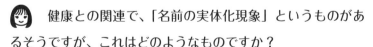 頑張って下さい。

（6）　名前の実体化現象

 健康との関連で、「名前の実体化現象」というものがあるそうですが、これはどのようなものですか？

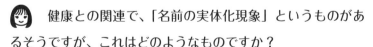 それは次のようなものです。すなわち、名前や概念など

は、その内容として本来固定的な実体を持たない虚妄的なもの（きょもう）で、哲学的には**空相**（くうそう）のものです。しかし、この名前にエネルギーを与え続けると、それがあたかも実体があるように現象として現実化してきます（**名前の実体化[現象]**）（岩崎、前掲書、88-90頁）。

この名前の実体化現象の具体例としては、例えば、「老人」という言葉があります。この言葉はある程度のイメージはありますが、それ自体に固定的な実体はなく、虚妄的な概念です。つまり、老化の程度は人によって全く違いますし、同じ本人でも年齢によってかなり異なってきます。実際にあるのはほんの少しずつ体力が弱くなっていく現実です。これに老人という名前（また、本人も「もう年だから」という言い訳）を与え続けると、本当に身体が老人のように（老いて弱々しい身体に）実体化してきます。

なお、これは、周知のとおり、**予言の自己実現**（自己成就予言：①：348頁）や**フュージョン**[26]とも呼ばれるメカニズムです[27]。すなわち、まず老人という言葉があり、確証バイアスに基づき脳がこの言葉を支持する証拠集めをし、若い時より体力

26　**フュージョン**とは、ある言葉の繰り返しが自己イメージとなり、そのようなものになっていくというものです。

27　これに類似したものとしてピグマリオン効果があります。

の落ちた自分を発見する。そして、その老人ということがより現実化し、実体化してくるという現象です。

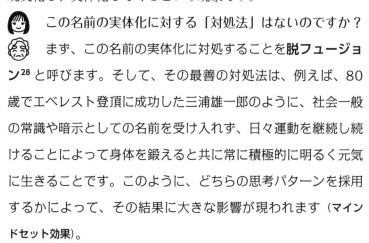 この名前の実体化に対する「対処法」はないのですか？

まず、この名前の実体化に対処することを**脱フュージョン[28]** と呼びます。そして、その最善の対処法は、例えば、80歳でエベレスト登頂に成功した三浦雄一郎のように、社会一般の常識や暗示としての名前を受け入れず、日々運動を継続し続けることによって身体を鍛えると共に常に積極的に明るく元気に生きることです。このように、どちらの思考パターンを採用するかによって、その結果に大きな影響が現われます（**マインドセット効果**）。

（7）　若さを保つ秘訣

今とても関心があることなのですが、「若さを保つ秘訣」ってあるのですか？

勿論（もちろん）あります。若さを保つ秘訣は次の点に注意して生活をすることです。すなわち、㋐**生存と生活の観点**について常に

28　**脱フュージョン**（熊野宏昭、前掲書、64頁）とは、フュージョンによる思考のイメージと現実の自分との間に距離を取って、よりポジティブなものにする方法です。例えば、「……と思った」法によって、「ダメな自分と考えたが、現実の自分はダメな人間ではない」というようなものです。

両者をバランスよく生活すること、㋑**健康の4要素**をバランスよく保つこと、㋒若さの源は心なので、若い心を保つことが必須です。そして、身体と異なり、心は本来衰えません。心が衰えるのは、自分で身体に合わせてそうしているだけです。一般に日本人は年齢に関する固定観念が大変強いので、これを一旦白紙の状況に戻し、主観年齢を若返らせることがポイントです。より具体的には、**主観年齢を実年齢の8掛け（80%）**として常に自己暗示を与え続けて生きること（「**（主観年齢についての）8掛思考**」）が大切です。例えば、60歳では、60 × 0.8 ＝ 48歳です。**若さは好奇心、チャレンジ精神や情熱量で決まります。**

「8掛思考」ですか。これから心掛けたいと思います。

いいことですね。これまで人生の大前提として心身の健康について説明してきましたけれども、食事、睡眠及び運動などの生活習慣を見直し、自己の健康へ時間やお金を投資する**健康投資**は**教育投資**と共に、ノーリスク・ハイリターンで最も投資効率の良い人生の**2大最重要投資**での1つです。

3　一切唯心造

　ここでは皆が知っているけれども、ほとんど自覚されておらず、また活用もされていない最重要な概念の 1 つである「一切唯心造」について説明しています。

(1)　一切唯心造

　人生において「何が人生を決定する」のですか？

　これに関する考え方には多くのものがありますが、主要なものとして、(1) 環境が人生を決定するという考え方（「**環境決定論**」）と、(2) 自己が人生を決定するものであるという考え方（「**自己決定論**」）があります（図表 3-11）[29]。後者はさらに、① 自己の内部にある心が人生を決定するという考え方（**心決定論**す

図表3-11　人生の決定論

(1) 環境決定論		環境が人生を決定するという考え方
(2) 自己決定論	①心決定論（一切唯心造）	心が人生を決定するという考え方
	②言葉決定論	言葉が人生を決定するという考え方

---

[29]　なお、この他に中世のヨーロッパのように、神がすべてを決定するというような考え方（**神決定論**）もありますが、現在ではこの考え方は一般的ではなくなってきています。

なわち**一切唯心造**）と②心の思考が外部に表現された言葉が人生を決定するという考え方（**言葉決定論**）などに分かれます。

このうち（1）の例としては、例えば、インドのカースト制度や日本における士農工商などに見られるように、その人の生まれ、育った環境がその人の性格、行動や職業などを決定しているという考え方です。これは、一種の宿命論に近い考え方です。しかし、このような状況は現在の世界においては一般的ではないと考えられます。

他方、（2）①は、人生を決定するものは「心」であると考えるものです。すなわち、人生においてすべてのものは心に拠っており（原因）、心によって造り出される（結果）（「**一切唯心造**」）と考えます。言い換えれば、自分軸としての**心の姿勢**すなわち**心の針（ベクトル）**がどちらに向いているのかが人生のすべてを支配し、造り出しているということです。つまり、これは自分が心で思ったとおりの人間になるという生き方の根本原理を示しています[30]。この事実は人生において成功し、幸せになるために非常に重要なものです。

このことについては、**心の時代**といわれる現代において、誰

---

[30] すべてのものは2度作られます。1回目は心の中で設計図として、2回目は実際の行動によって作り出されます。

でも知識としては知っているけれども、現実にはほとんど自覚
されず、また活用もされていない最重要な真理の 1 つです。こ
のように、成功も健康も幸せも、自分の外にあるのではなく、
心の中にあります。すなわち、すべてのものはただ心が造り出
しています。つまり、思考がすべてを創造しており、思考力は
すべての創造力の源です。これは周知のように、一般に「思考
は実現する」「夢は叶う」ないし「信じたことが実現する」（「**思
考→言葉→行動→実現**」）と表現されています。これについて、私
たちが日常的に実際に活用している具体例として、なりたい自
分を張り紙に書いて壁に張るという**張紙法**があります[31]。この
ことに関連して、**サルトル**も「**実存は本質に先立つ**[32]」（669頁）
という有名な言葉を残しています。すなわち、**パスカル**[33] の言
うように、「**人間は考える葦**」（1297頁）であり、自分が考えた
ような人間になります。つまり、**人生は心 1 つの置き所です。**
心の持ち方 1 つですべてが実現可能なのです。ここで**心**とは思

---

[31]　このように、良い人生を送るのに一番大切な能力の 1 つは夢に向かって前向きに努
　　力できる習慣と意志力です。この場合、時間は過去へと流れるが、心や言葉は未来へ
　　と流れ、未来を形成する力（「**未来形成力**」）を持っています。
[32]　すなわち、人間の存在は人間がどのような本質を持つかということに先立ち、その
　　本質はその人が自由にどのような考えに従って生きるのかに依存して後で決定される
　　ということ。
[33]　モラリスト（**箴言**〔断片的な警句や文書〕によって人間への深い考察を行った思想
　　家）の 1 人。

考・観念・マインドセット・意思・志・信念と言い換えても同じです。人間には心によって人生の一切を創造する力が与えられています。それゆえ、自分の人生を自分の力でコントロールするためには、一切唯心造の考え方を基礎として人生を生きることが大切です。

👧 「一切唯心造」ですか。初めて聞きました。ところで、心理学では心ではなくて「言葉が人生を決定する」といわれているようですが……。

👴 そのとおりですね。それについて説明しています。すなわち、(2) ②は人生を決定するものは**言葉**であると考えるものです。つまり、その言葉を行動によって現実化していくというものです。これは前述の (2) ①の変形すなわち自己の内部の心で思考され、それが言葉として外部化されたものであり、両者は実質的にほぼ同じものと考えられます。なお、話された言葉は、**確証バイアス**[34] というメカニズムによって脳がその言葉を支持する証拠を集め、それが実現していきます（**予言の自己実現**)[35]。

---

[34] **確証バイアス**は、**認証バイアス**とも呼ばれます。
[35] **予言の自己実現**は、**予測の自己実現**とも呼ばれ、**プラセボ効果**（②：150頁：偽薬の投与にもかかわらず、症状の改善が見られる効果のこと）と類似のものです。

（2）　コップ半分のアップルジュース

以前から気になっていたのですが、コップの中に飲みか
けの半分アップルジュースが残っていて、これをどう解釈する
かで、その人の幸せさや成功の可能性が変化する、といわれる
のはなぜですか？

それは次のような理由です。すなわち、人生において何
が起こったか（出来事）によって、確かに大きな影響を与えます
が、それ以上にその生じた事象には通常良い面と悪い面とがあ
り、それをどう**解釈**し、未来に生かすのか（「**解釈力**」：マインド
セット）、そしてそれに対してどのように対処していくのか（「**対
応力**」）の選択権は自分にあり、どれを選択していくのかの方が
生じた出来事そのものより決定的な影響を及ぼします。つま
り、ある出来事によって**幸せになるのも不幸になるのもその選
択権は自分にあります**。

　より具体的には、上記のケースに関して、㋐**もう半分しかな
い**という解釈と、㋑**まだ半分残っている**という解釈の２つが可
能です。すなわち、同じ物事について２つの異なったネガティ
ブないしポジティブな解釈ができます。これは、人間はその事
象をそれ自体として体験するのではなく、（ネガティブやポジティ
ブなど）何か解釈されたものとして、事実を自ら意味付けて体

129

験しているからです。

　前者はもう半分しかないという「ない」方に着目し、不平不満でできない側面に目を向けています。そのような消極的な解釈とその後の消極的な対応行動につながります。他方、後者はまだ半分残っているという「ある」方に着目し、希望や感謝でできる側面に目を向けています。そして、そのような積極的な解釈とその後の積極的な対応行動につながります。すなわち、**拡張形成理論**に基づきポジティブな考え方を採用し、しっかりそれに対処すれば、その後の人生もよりポジティブなものとなりますが、反対に、ネガティブな考え方をし、そのような対処の仕方をすれば人生もよりネガティブなものになります（「積因積果・消因消果」）。

 よくわかりました。すなわち、どちらの思考パターンを採用するかによって、その結果に大きな影響が現われるということですね（**マインドセット効果**）。それゆえ、明るく楽しく積極的に考え、行動することによって豊かで充実した人生にすることが大切であるということですね。

　そのとおりです。

4　自他一如

　ここでは人間関係においてとても有用な考え方である「自他一如」について説明しています。

　　人生において「人間関係をどう理解すれば良い」のですか？

　　人間関係の捉え方に関しては、①**自己と他人とを全く独立した存在と見る考え方**（「独立説」）と、②**自分と他人とは相互に深く関連し、依存し合っていて全体として一体**（自他一如：oneness）**の関係にある**（「自他一如説」）という２つの考え方があります。

　独立説では、例えば、（「個」から出発し、切断思考に基づき）私とあなたというような二元論的な思考に基づく、個人主義的自由主義などの西洋流の考え方で、世間では一般的な考え方です。そして、現実の社会においては、個々の個人が自己（エゴ）の主張をします。これは、とても視野が狭く、例えてみれば、木を見て、森を見ない状況です。

　しかし、すべてが別個に完全に独立して存在するという考え方には問題があります。これは、**和辻哲郎**が言う、人間は

「**間柄的存在**」（4頁）すなわち常に個人性と社会性とを兼ね備え、人と人との関係（共存関係）においてのみ存在し、決して社会から完全に孤立した個人としての存在ではない、ということからも説明できます。より具体的に言えば、例えば、食事1つを取ってみてもこのことは明らかです。私たちが食べる食物は誰が育てたものか、誰が運搬し、販売したものか、食器や炊飯器などは誰が製造販売したものかなどを考えれば、他の人々の存在なしにはこれらのものは考えられません。これらのほとんどのものは**他力**によっており、他の人々の存在なしには、自己の存在はあり得ません。すなわち、**すべてのものは繋がっており、私たちは他の人々やものと相互に関連（「相互関連」）し、相互に依存（「相互依存」）しながら存在している**ことは明確な事実です。これは**アドラーの共同体感覚**[36] と同様のものです。

　後者は東洋流の自他一如の考え方です。すなわち、連続思考に基づき視野の広い**全体**としての観点から、この世界の本質について深く洞察すると、この世界に存在するすべてのものはそれぞれが完全に分離独立して別個に存在するものではなく、縁起の法に基づいて他のものとつながり合い、相互に関係し合

---

[36]　**共同体感覚**ないし**共同的感覚**（①：198 頁）とは、自分は社会の一員であるということを自覚することから生じる感覚のことです。

い、依存し合いながら全体が一体として存在しているという事
実が理解できます。そして、この観点からすれば、すべてのも
のは密接不可分に関連する全体の一部としてかつ相互に依存関
係を持つ一体のものとして存在しており、そこには西洋思考の
ような独立的で明確な自他の区別はありません。

　それゆえ、自分が他のものにしていることは究極的には自分
自身にしていることと同じこととなります。例えば、相手を思
いやり、親切をすれば、**返報性の法則**[37]によって一般には**親切
返し**の形で結果として自分にも親切が返ってきます。このよう
に、自己の他への影響は全体に影響を及ぼし、それがまた自己
にも影響を及ぼしてくることになります。このような相互関係
の観点から自他一如であると見ることができます。

　わかりましたが、もう少し具体的な例で説明して頂けま
せんか。

　わかりました。この考え方の具体例を見てみれば、例え
ば、㋐身体全体の健康を考えた場合、身体は全体として一体の
ものなので、身体の一部が傷付けられると、身体全体の調子が
悪くなり、他の部分も苦しむこととなります。また、㋑地球環

37　**返報性の法則**（②：703 頁）とは、例えば、一般に「お祝い」をすれば「お祝い返
　　し」があるというように、善いことをすれば善い返報があり、悪いことをすれば悪い
　　返報があるという法則です。

境問題を考えた場合、西洋流の考え方に基づけば、例えば、**ベーコンの「知は力なり」**（1068頁）のように、観察や実験に基づく経験的な知識は**自然を支配する力**（638頁）になるという考え方や、環境問題は存在しないとしてパリ協定から脱退した国のように、私たちは環境と全く分離独立して存在していると考え、それゆえ、環境を破壊し汚染しても私たちには全く影響がないと考えます。しかし、この考え方は、個は見ているけれども、全体を見ていないので、個々のエゴを主張し合うことによって、現在の地球のような深刻な環境破壊や環境汚染を引き起こし、それが私たちにも影響を及ぼすという結果となっています。このように、個々のものは全く分離独立して存在しているという考え方は矛盾しています。他方、東洋流に常に全体を考えて、人類と環境とは自他一如の相互に密接な関係にあり、相互に依存し合いながら全体として１つのもの、一体のものとして存在していると考えれば、自国優先という国家エゴなどに基づくのではなく、私たちの考え方や行動を変える必要があることが明確になります。

　「自他一如」ということをこれまであまり意識したことがありませんでしたが、深い考え方に基づく素晴らしい考え方ですね。要するに、自他一如とは様々な人間関係や事象関係に

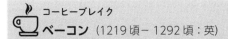

　イギリス経験論の始祖で帰納法を提唱しました。「知は力なり」
（知識による自然の支配力を持つこと）、イドラ（偏見：種族・洞窟・
市場・劇場）の排除などを説きました。

おいて、すべてのものは相互関係にあり、相互に依存し合いな
がら存在し、全体として 1 つ (oneness) であるという考え方で
あること、そして、そのような考え方に基づきもたらされる調
和は理想形・完成形のものであるということですね。それゆ
え、人生において常に他の人々や環境との間にバランスを取る
ことがベストであり、この自他一如の考え方は慈愛・利他・
和・シナジーなどの大元となるということですね。

　そのとおりです。

5　慈愛

　ここでは、成功し幸せな人生を送るために、あらゆる思考や
行動の動機とすべき「慈愛」について説明しています。

図表3-12　人間関係などにおける思考・行動の動機

動　機	意　　思	力	の	発	揮
①恐れ	苦痛を避けたい……しなければならない	消極的1回性	半強制的やらされ感	エネルギーが失われる	失敗・不幸など
②慈愛	嬉しい快感を得たい……したい	積極的反復的	自主的喜び、楽しみ	最大限の能力の発揮	成功・幸せなど

（1）　慈愛

人間関係において「どのような動機で物事を考え、行動したら良い」のですか？

人間関係における言動の動機として快苦を伴う感情の観点から、①**苦痛を避けたい気持ちから生じる恐れ**と、②**嬉しく心地良い快感を得たいという気持ちから生じる慈愛**[38]があります（図表3-12）。

人間関係において**恐れや不信を動機に**する場合には、恐れを避けるために、本来それをやりたくないものをしなければならないので、その態度は一般的に消極的です。また、それは半強制的に行うもので、どちらかというとやらされ感があり、苦しいものです。それゆえ、本来持っている力を最大限発揮して行

---

[38]　慈愛の反対はエゴで、慈愛が他者への思いやりであるのに対して、エゴは自分が良い思いをしようとするものです。

うものではありません。そして、その結果も幸せとならないことも少なくありません。この具体例としては、例えば、2020年に起きた（アメリカ軍に対する恐怖からの）イランのウクライナ旅客機の撃墜（げきつい）事故などがあります[39]。

　他方、**慈愛を動機**にする場合とは、すべての思考や行動の始点として人への温かい関心や優しさである慈愛を持って行うものであり、自他共に心地良い感覚を得、幸せとなります。これは無条件で無差別の大きな愛であり、すべての思考や行動の動機とすべきものであり、あらゆるものに対する万能薬であり、繰り返しなされる性質のものです。この慈愛が発揮[40]されている時には、エゴは見られません。そして、そのような慈愛を受けた人が**返報性の法則**によって、**恩返し**や**親切返し**の形で受けた恩を返したり、さらに次の人へ慈愛を起点とする親切な行為を行い、**恩送り**や**親切送り**の形で親切のスパイラルや連鎖が生じる可能性があります。なお、親切に磨きをかけたものが、**気が利く**ということです。気を利かすためには、相手について注

---

[39]　アメリカ軍のイランへの ICBM 攻撃に対する恐怖からイラン軍が旅客機を誤って撃ち落としてしまった事件のこと。
[40]　このように日常的に慈愛を起点として考え、行動する前提として、普段から自己の心を安定させ、慈愛の念を起こさせるために、会う人に対して「この人が幸せでありますように！」と、他者の幸せを願う瞑想である**慈悲の瞑想**（秋山・島井・前野、前掲書、117 頁）を心の中で行うことが有効です。

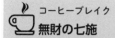

コーヒーブレイク
無財の七施

　お金がなくても、自分の目や口などを少しだけ周りの人たちのために使うという心掛けが、みんなを笑顔にそして幸せにします！例えば、わが国には「無財の七施」[41] という良い慣習があります（図表3-13）。これは心豊かな慈愛に基づく親切心から生じるものです。すべての人が幸せになるために、是非ご一緒に！

図表3-13

①眼施（げんせ）	優しい眼差しで人に接すること
②和顔（悦色）施（わがん えっしょく せ）	にこやかな顔で人に接すること[42]
③言辞施（ごんじせ）	優しい言葉で人に接すること
④身施（しんせ）	自分の身体でできることで奉仕すること
⑤心施（しんせ）	他のために心を配ること
⑥床座施（しょうざせ）	席や場所を譲ること
⑦房舎施（ぼうじゃせ）	自分の家を宿として提供すること

（出所）岩崎、前掲書、133頁。（一部修正）

　例えば、言辞施において、相手に（「ありがとう」と言って）感謝したり、また褒めるのに6S褒言葉（流石〜！、すご〜い！、素晴らし〜い！、最高〜！、素敵〜！、好き！）を使うことによって、コミュニケーションを円滑化し、相手に喜ばれ、好かれます。また、「……と思うよ」という自己の意見を中心とするものよりも、「そーだよね〜！」などの気持ちや共感を中心とする内容の方が会話が弾みます。

---

41 中村元『広説佛教語大辞典下巻』東京書籍、1618頁を参照。
42 例えば、ニコッとした笑顔をすれば心も体もリラックスし、ポジティブになるという効果を**顔面フィードバック効果**（FFE）ないし**顔面フィードバック仮説**（FFH：①：159頁）といいます。

意深く観察する力（「観察力」）と、相手が何を必要としているのかを想像する力（「想像力」）が大切です。気が利く人は誰からも好かれます。わが国には「気を利かすこと」や「おもてなし」という世界に誇る良い伝統があります。

　　おっしゃるとおり、思考・行動の動機が愛か恐れかによって、その結果も大きく異なってきますね。それゆえ、慈愛を動機とした思いやりによって、自分の生きていく環境を明るく心地良いものへと変えていくことが幸せな人生を送る秘訣であるということですね。

　　そのとおりです。

（2）　親切の効果

　　慈愛に基づく親切（カインドフルネス）には、どのような「効果」があるのですか？

　　親切の効果には、(a) **他人に対する効果**と (b) **自分に対する効果**があります。**他人への親切の効果**には、親切を受けた人が心の温かさや幸せを感じ、感謝します。他方、**自分自身への親切の効果**としては、㋐親切をすることによって喜びが得られること、㋑自己の存在価値の上昇を感じること、㋒自己イメージ、自己肯定感や自尊心が高まること、㋓幸せになるこ

と、㋔精神が安定すること、㋕人好きになること、㋖寿命が延びること、㋗生きがいの1つとなることなど多くの良いことがあります[43]。このような意味で「親切は幸せへの黄金律^{ゴールデンルール}です」。

6　積極性

ここでは成功し幸せな人生を送るために必須である心身の姿勢としての「積極性」や「積極性の2側面」などについて説明しています。

(1)　積極性

①　積極性

🧑　人生の生き方において、どのような「心身の姿勢」で生きれば良いのですか？

🧠　**正しい生き方としての心身の姿勢はいかなる状況の下においてもポジティブ・シンキング（積極思考）に基づき積極的[44]**

43　このように、「行動→自己イメージの向上→良好な人生」という流れの療法を**行動療法**（②：232頁）と言います。

44　積極的＝ポジティブ＝プラス＝前向きです。すなわち、積極思考、ポジティブ思考、プラス思考、前向思考です。ここで**積極的**とは、何事についてもワクワクし、前向きで挑戦的でやれない理由を探すのではなく、自己効力感を持って何とかできる方法を考え、行動することです。

に生きることです。このように、いつも明るく積極的に粘り強く継続的な努力をすれば、何でもできるし、何にでもなれる可能性があります（積因積果）。その結果として成功し、幸せにもなれます。そして、良い人生を送るのに一番大切な能力は積極的に生きようとする**意志力**と**実践力**です。この場合、**積極性**とは肩に力の入った状態ではなく、肩の力を抜いた自然体の状態で、明るく前向きにワクワクして目の前のことに集中して取り組むことです（虚心平気）。なお、一般的に積極性の反対は消極性ですが、これらのうちどちらの思考パターーンを採用するかによって、結果に大きな影響が現われます（**マインドセット効果**）。この世界は行動の世の中です。常に積極的に考え、行動し、成功し、幸せで充実した人生としたいものです。

② 挑戦とホメオスタシス

👩　人生における「積極的な挑戦の重要性」について説明して下さい。

👴　これに関して、私たちが新しいことに挑戦することによって失敗することを恐れ、また怠け心から現在の状況などを維持しようとするという心理を**ホメオスタシス**（恒常性：②：714頁）といい、できるだけ現状の居心地のいい**快適領域**（コン

フォートゾーン）に留まろうとします。それゆえ、このホメオスタシスは積極的に挑戦しようとするやる気やモチベーションを低める働きをします。しかし、人生における最大の失敗ないし最も悔まれることの1つは挑戦しないことです。人は新しいことにチャレンジし、変われないのではなく、ホメオスタシスによって変わらないという決断をしているだけです。そこで、積極的な心を持って、自分が理想としている人を真似ること（モデリング）などによって、このホメオスタシスの状況から抜け出し、新しいことに好奇心を抱き、チャレンジし続けていくことが成功や幸せをもたらします。

（2）積極性の2側面

ここでの「完全な積極性は一般的な積極性とどう異なっている」のですか？

ここでの**完全な積極性**は次の点で一般的な積極性と異なります（岩崎、前掲書、162-165頁）。

㋐　生きがいのある人生を送るために、**どのような時でも心身共に積極的に行動**すること

すなわち、**心の側面**では、自己の成長のために、いつも明るく前向きにワクワクして新しいことに挑戦的に取り組むことで

142

あり、**身体の側面**ではいつも身体を鍛えて、健康な状態に保つことです。このように、心身の健康を前提としていつでも新しいことに前向きにワクワクして挑戦的に取り組むことによって、様々な経験ができ、生きがいのある豊かな人生が送れます。

　㋑　苦のない幸せな人生を送るために、どのような時にでも、悲しい、寂しい、憎い[45] などという**消極的（ネガティブ）なことを考えない**こと

　すなわち、自分にも周りにも良くない影響を与える消極的（ネガティブ）なこと[46] は瞬間停電としてゼロ化し、常に明るく前向きで周りにも良い影響を与えるプラスの波動を出す積極的（ポジティブ）な状況にしておく（リフレーミング：積転法）ことです。つまり、いつでも、どこでも、どのような状況でも[47]、明るく前向きに物事を捉え、明るい将来を期待するというハッピー眼鏡をかけ、積極的であることが大切です。言い換えれば、積極的に物事を行った時の方が心の負担やストレスが軽くなり、また、不要なエネルギーの消耗もなく、多くのエネル

45　これに対して**怒りの管理（アンガー・マネジメント）**が必要で、マインドフルネス瞑想やメタ認知などがそれに有効です。
46　消極的になると物事への好奇心が欠け、チャレンジ精神も湧かなくなり、物事を行わない**行動の回避**がなされます。
47　TPO を問いません。

ギーを投入でき、やる気も湧き、そして成功や幸せとなる可能
性がより高まります。

意味はよくわかりました。それでは、「顕在意識を常に
積極的にしておくべき理由」について教えてください。

顕在意識を常に積極的にしておくことが大切な理由は、
㋐楽しさや喜びなどの喜怒哀楽を感じるのは顕在意識であるこ
と、㋑顕在意識の状態が身体へ大きな直接的な影響を与えるこ
と（「安危同一（あんきどういつ）」）㋒顕在意識で行った出来事が、ABC理論に基づ
き潜在意識に蓄積され、それが再び思考や感じ方さらには現実
に影響を及ぼすからです。

（3）　機嫌（きげん）を取ること

人生においてなぜ日常的に「機嫌を取ること」が大切な
のですか？

まず、哲学上機嫌を取る対象として、㋐**自分自身の機嫌
を取る**[48] ことと、㋑**他人の機嫌を取る**ことがあります（図表3-
14）。前者は**自分への思いやり（セルフ・コンパッション：自愛）**で
あり、この**自分への思いやり能力（自愛力）を高めていく**ことが

48　自己犠牲的な生き方では、一般にストレスが溜まり、心身を痛め、長続きしませ
ん。

図表3-14　機嫌を取ること

㋐自分自身	機嫌を取ること	・最重要 ・常時 ・必須	・自分への思いやり（セルフ・コンパッション：自愛）の一環 ・常に自分自身の機嫌を取ることは必須であること ・自分ばかりでなく、周りの人も明るく幸せにできること ・自己の最高の能力の発揮ができ、成功し易く、幸せであること
㋑他人		余裕がある時	・余裕がある場合には、他の人にも慈愛を持って、機嫌を取ってあげること

とても大切です[49]。

　一般に人を思いやり、優しく親切にすることが自分も幸せになる黄金律とされますが、この場合、その順序として最も身近な人（すなわち自分自身）から優しく親切にすることが大切です。具体的には、セルフ・コンパッションによって自分自身を常に笑顔で優しく思いやり、積極的な暗示・励まし・行動を取り続けることです。しかも、このことこそが成功し幸せになるために、人生において最重要なものの１つです。

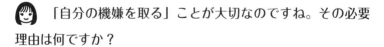　「自分の機嫌を取る」ことが大切なのですね。その必要理由は何ですか？

49　**セルフ・コンパッション能力を高める方法**としては、例えば、自分で自分を思いやり、「よく頑張っている」と評価し、褒め、励まし、心にエネルギーをため、やる気を起こさせることやポジティブ思考を取ることなどがあります。

その理由は、自分自身の機嫌を取る[50] ことによって、幸せホルモンであるセロトニンが分泌され、快の気持ちとなり、ストレスが減り、気力・体力・メンタル面でいつでも心が安定し、明るく、前向きでモチベーションの高い幸せな状態を保てるようになるからです。そして、このような機嫌の良い状態においては、**気分一致効果**[51] によって、その気分と一致するポジティブな思考や行動がなされます。すなわち、機嫌が良いと、自分自身の全身の細胞や機能が活性化し、健康で**常に最高のパフォーマンスを発揮し続けることができます。その結果、拡張形成理論に基づき成功する**可能性が高くなります。と同時に、慈愛に満ちた寛大な広い心となり、自分を取り巻く人々にも優しくでき、心地良い幸せな状況になれます[52]。

---

50 機嫌は一般に上から**上機嫌・ご機嫌・普通・ご機嫌斜め・不機嫌**に分けられます。機嫌の良い時は、自分にも人にも優しくなれますが、反対に不機嫌の時は、人に対して攻撃的になります。そして、自分がいつも**ご機嫌でいるための方法**としては、例えば、笑顔でいること、ポジティブ言葉を使うこと、健康の4要素をバランスよく保つこと、完全感謝することなどがあります。

51 **気分一致効果**（②：149頁）とは、ある気分が起こると、その気分と一致するように記憶や判断が促がされるという効果であり、気分が思考や判断に強い影響を及ぼしているということです。

52 人が居心地の良いと感じるのは上機嫌な人の周りであり、反対に最も一緒にいたくないのは不機嫌な人の周りです。

146

（4）　ネガティブのポジティブ化

①　ネガティブのポジティブ化

　　　日常的に時々ネガティブな感情になるのですが、「ネガティブな感情をポジティブなものへ転換する」にはどうしたら良いのですか？

　　　それは重要なテーマですね。**世の中にはポジティブに生きられる人とそうでない人がいます。その理由はその人の心の習慣（マインドセット）が違うからです。**この場合、成功し幸せな人生を送るためには、ポジティブであることが大切です。そこで、ネガティブな感情を**ポジティブ感情へと転換する方法**として、例えば、完全感謝、リフレーミング、ポジティブ暗示法、適度の運動、十分な睡眠などがあります。

　すなわち、日常的なことすべてに感謝（完全感謝）をすることは、ポジティブな感情への転換法として有用です。また、図表3-15のようなポジティブについての多くの長所を知り、明るく前向きに物事を考え、行動すれば、**ポジティブなものへと転換**できます。ネガティブとポジティブとの間には、天と地の差があり、ポジティブで人生を送ることの大切さが理解できます。このことは、多くのベストセラーの本が**ポジティブ思考**[53]**・積極思考・プラス思考**をテーマとしていることからも証

図表3-15　ネガティブとポジティブ

摘　　要	ネガティブ	ポジティブ
①態度	消極的・従属的・受動的	積極的・主体的・能動的・本気
②感じ	やらされ感、いやいや感、無気力、他人決定感	やる気、前向き、ワクワク感、自己決定感、生き生き、好奇心、チャレンジ精神、集中力
③症状・効果	ストレス、面倒くさい、疲れる、身体に悪い	ストレスになりにくい、面白い、疲れにくい
④成果	普通の成果・生産性・効率性	良い成果・高い生産性や効率性
⑤コントロール	他人に人生を決定され、コントロールされているような感覚（「人生の他人コントロール感」）	自分で自分の人生を決定し、コントロールしている感覚（「人生の自己コントロール感」）
⑥思考・言葉	「……しなければならない」「……したくない」・ねばならない思考*・ネガティブ思考・言葉	「……しよう」「……したい」・しよう思考・ポジティブ思考・言葉

＊：同様なものとして、**べき思考**（……するべきであるという考え方）があります。

明されています。

　このように、思考や言葉は人生に大きな影響を与えます。それゆえ、**脳の可塑性**[54] を活用して、ネガティブな思考や言葉[55]

53　**ポジティブ思考**とは物事をポジティブに見る思考であり、**ポジティブな思考になるための方法**には、例えば、便益発見法、メタ認知、リフレーミング、複眼思考、課題分離法、拡張形成理論、健康の4要素の確保などがあります。
54　**脳の可塑性**とは、脳には自分を取り囲む状況に応じて変化しうる能力があることです。

図表3-16　思考・言葉のリフレーミング

ネガティブ思考・言葉 マイナス面に着目	リフレーミング 変換・置換	ポジティブ思考・言葉 プラス面に着目	幸せな 人生

をポジティブなものに変え（**リフレーミング**[56]し）て生活するという習慣付けを行うと幸せな人生になります（図表3-16）。

　　リフレーミングはいい方法ですね！　これからこの方法を活用したいと思います。

　　是非そうして下さい。

② 　やる気

　　話のついでに、日常において「やる気」はどのようにすれば出ますか？

　　周知のとおり、豊かな人生を送るためには、いつもやる気を高いまま維持しておくことが大切です。この場合、やる気

---

[55] **ネガティブ言葉**や**マイナス言葉**（例えば、できない、ついてない、不安だなど）よりも、**ポジティブ言葉**や**プラス言葉**（例えば、できる、ついてる、ありがたいなど）を使うことが大切です。

[56] **リフレーミング**（**積転法**：積極的なものへ転換する方法）は、**認知再構成法**（①：684頁：認知ないし認識をポジティブなものに再構成して、感情をより良いものに変えていく方法）と基本的に同様なものであり、ある枠組み（フレーム）で捉えた物事を別のよりポジティブなフレームで見ることであり、見方を変えることによって、より健全でポジティブな感情にしていくことです。

が起こるのを待っていても、なかなかやる気は起こりません。そこで、**やる気を起こさせるための方法**としては、まずとにかく行動を起こすことであり、それに伴って**作業興奮**[57]が起こり、それから段々とやる気が出てきます（「**行動→作業興奮→やる気**」の順）。これは、行動すれば、気持ちは後から付いてくるということです（清田、前掲書、199頁）。

7　本心良心

　ここでは成功し幸せな人生を送るために、迷った時の判断基準である「本心良心」について説明しています。

　　人生において判断に迷ったときに、「何を判断基準」とすれば良いのですか？

　　これは哲学上非常に重要な問題です。人生は毎秒毎秒判断の連続であり、成功し幸せな人生を送るためには、正しい判断を行い続けることが大切です。判断の結果は行動に移され、一定の結果が現われます。それゆえ、輝く人生を切り拓くため

---

[57]　**作業興奮**とはとりあえず一旦行動をし始めると、やる気が湧き、それが継続できるようになるということです。清田予紀『それ、「心理学」で説明できます！』三笠書房、21頁。

図表3-17　心の分類

一元論	二元論	三　元　論		日常生活
心	感情	（自我的）感情	自我的（損得）	バランスよく
	理性	自我的理性		
		無我的理性*	無我的（善悪）	

＊：深い理性や本心良心ともいう。

には、正しい判断が必須です。ここで**正しい**とは、**良心の呵^か責^{しゃく}を生じないこと**すなわち**社会全体にとって平和・幸せ・繁栄に貢献することが正であり**、反対に、**これを阻害することが誤**です。この心の判断基準としての**心の分類**として、哲学上図表３-17のようなものが考えられます。

　まず、**一元論**的に**心**を捉える場合には、身体と区別された精神的な活動を行うもの全体を心として捉えます。これは**身体と心**と言うような場合に、一般に使用されます。これには感情や理性などすべての精神作用が入っているので、判断基準として正しい場合と正しくない場合とが生じます。それゆえ、正しい判断をしようとする場合には、もう少し心を細分化することが必要となり、以下の二元論又は三元論に基づく方がより良いと考えられます。

　次に、**二元論**的に心を捉える場合には、心を主観的な好き嫌

いなどの精神活動である**感情**と、客観的で論理的な思考をする**理性**とに分けられます。これは一般的な心の分類方法です。ここでは判断基準として感情と理性の2つのものが考えられます。まず前者の**感情**を判断基準とする場合には、自分の好き嫌いで判断しますので、社会的に見て必ずしも正しい判断を行えない可能性があります。それでは、後者の**理性**で判断すれば正しい判断が行えるかというと、理性での判断は感情的な判断ではなく、一般的に冷静に判断を行うので、正しい判断が行えそうです。実際に、これは外交や取引の交渉などで日常的によく使用されています。しかし、必ずしも正しい判断とならない場合が生じてきます。すなわち、自分の利害に絡むことを判断する場合には、自己の利害を優先して判断することが一般的なので、社会的に見れば必ずしも正しい判断とならないケースです。それでは、このような場合にどのような判断を行えば良いのでしょうか。そのヒントは、次の三元論の考え方です。

　そして、**三元論**的に心を捉える場合には、心を主観的な好き嫌いなどの精神活動である（自我的）**感情**、自己の利害を考慮に入れて、物事を理論的に思考する**（自我的）理性**と、自己の利害から離れて物事を理論的に思考する**（無我的）理性**[58]とに分けられます。この場合、感情や（自我的）理性に従う場合には、一般

に自己の利害を優先しますので、自己の損得が絡むものについては、必ずしも正しい判断を行えない可能性があります。他方、（無我的）理性ないし本心良心に従う場合には、自己の利害が判断に関与しませんので、善悪などについて正しい判断が行えます。それゆえ、正しい判断を行おうとする場合には、心を三元論で区分し、そのうち（無我的）理性ないし本心良心に従って行うことが大切です。このような判断を別の言葉で表現すれば、高い人格や人間性を備えた人間として何が正しいのかという観点からの判断です。なお、**ハーバーマス**的に表現すれば、自我的理性は、自己の利害を優先して相手方を手段（道具）化する傾向があるので「**道具的理性**」と呼べ、無我的理性は当事者すべてのことを考え、対等に扱うので「**対話的理性**」と呼ぶことができます[59]。

心の三元論的分類は初めて聞きました。このうち「本当の自分の心」はどれですか？

心には感情、自我的理性及び無我的理性（本心良心）の 3 層のものがありますが、**自分の本当の心は深い理性としての無**

---

[58]　これはユングの集合的無意識に関連し、彼は意識を顕在意識・個人的無意識・集合的無意識に分けています（717 頁）。

[59]　哲学思想研究会編，前掲書、172-173 頁。なお、事典では、対話的理性はコミュニケーション的理性という用語になっています。

図表3-18 感情・理性と本心良心の関係

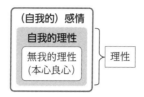

（出所）岩崎、前掲書、155頁。

我的理性ないし本心良心です（図表 3-18）。これは、ちょっと
した悪戯<ruby>戯<rt>いたずら</rt></ruby>などをした時でも**良心の呵責<rt>か しゃく</rt>**を感じることからも説
明できます。

8 感謝

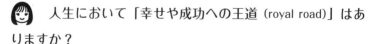

ここでは成功し幸せな人生を送るための心の状態としての王
道である「感謝」や「完全感謝と不完全感謝」などについて説
明しています。

（1） 感謝

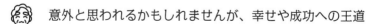

人生において「幸せや成功への王道（royal road）」はあ
りますか？

意外と思われるかもしれませんが、幸せや成功への王道

はいつでもどこでも何事に対しても**感謝**することです。つまり、**感謝は幸せや成功の元**です。

　すなわち、私たちは良いことをしてもらったり、良いことが生じた時に、自然に感謝をします。このように感謝をしている状態は**幸せ**を感じている状態です。この感謝は目上の人にも目下の人にも上下の関係なく同様に使われますので、上下関係を創り出しません。そして、私たちは**幸せで快の状態では、常に最高のパフォーマンスを発揮し続けることができ**、しかも、その力で継続的な上への努力ができれば、成果も上がり、**成功**もし易くなります。

　感謝が幸せへの王道ですか……。ついでに「感謝の効果」について教えてください。

　わかりました。**感謝の効果**には (a) **他人に対する効果**と (b) **自分に対する効果**があります。**感謝の他人への効果**は、感謝を受けた人の自尊心を高め、承認欲求を満足させ、幸せを感じさせます。他方、感謝の自分自身への効果は次のとおりです。すなわち、㋐モチベーションとしての**慈愛**が**万能薬**であるのに対して、「**ありがとう！**」という言葉は一言でみんなを幸せにできるという**最強の言葉**です。しかも、㋑私たちは感謝をして「ありがとう！」と言っている時に幸せを感じ、また㋒私

155

たちが持っている本来の力を100％発揮することができ、しかも㋓前向きの努力を惜しみなくすることもできます。それゆえ、その成果も良いものとなる傾向があります。また、㋔周りの人たちにも親切にしてやれる心の余裕も生まれます。

なるほど、感謝によって、多くの良いことが生じるのですね。それゆえ、感謝が多いほど、より幸せで成功もし易くなること、言い換えれば、**感謝が幸せや成功を引き寄せてくるので、感謝は幸せや成功への王道**ということですね。

そのとおりです。

（2）　完全感謝と不完全感謝

人生において「**感謝すべき出来事**」には、どのようなものがあるのですか？

私たちは一般的に何か有難いことが生じた時に感謝します。しかし、人生において本当に成功し、幸せに生きるためには、感謝についてより深く考えることが大切です。この場合、感謝は２つに分類されます（図表3-19）。すなわち、(a) 私たちが良いことをしてもらった時に、「ありがとう！」と感謝しますが、これは**不完全感謝（ありがとう感謝）**です。他方、(b) このような場合のみならず、例えば、１日に３度食事ができること

図表3-19　完全感謝と不完全感謝

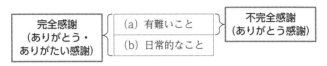

や住む家があることなど、日常的で当たり前と思われるすべて
の**今あることにも「ありがたい！」と感謝**することを**完全感謝
（ありがとう・ありがたい感謝）**といいます。これによって、普段私
たちが持っている**ネガティブな感情をゼロ化**でき、さらに明る
く前向きでポジティブなものへと変えることができます。すな
わち、すべての目の前にあることや、**当たり前の日常の大切さ**
に感謝することがいつでも幸せでいる秘訣です（岩崎、前掲書、
144-145 頁）。

完全感謝という考え方があるのですね。それはなぜ必要
なのですか？

　その理由は感謝が幸せや成功に深く係（かか）わっているからで
す。すなわち、第 1 に、日常的なこと、例えば、食事や家など
ほとんどのことは、他の人のおかげ（「**他力**」）で維持されている
という**縁の連鎖のおかげ**であるという事実からです。自分 1 人
の力だけでコメを育てたり、運んだり、それを炊（た）く釜（かま）を造った
りすることは非常に困難なことです。これは**現状を失ってみれ**

157

ばすぐに理解でき、当たり前のことではなく、正に非常に有難^{ありがた}い（有ることが難しい＝奇跡的な）ことです。また、2020年以降のコロナ禍においては、日常的にマスクを付けずに会話をできることがどれほど感謝すべきことであるのかということを、身をもって実感されます。このように、私たちは**有難さを感じる力**を向上させることが幸せな人生を送るためには大切です。第2に、私たちは感謝している時には、満足し幸せを感じているからです（図表3-20）。つまり、私たちが日々求め続けている幸せは、当たり前を感謝に変えるという思考回路を身に付けることによって、すなわち不完全感謝を完全感謝に変えることによって増大させることができます（「**当たり前**―（変換：リフレーミング）**→感謝：有難い→幸せ**」）。このように、完全感謝は幸せの元であり、幸せになるためには、日常的な当たり前のことを感謝に変えること（**リフレーミング：積転法**）が有効です。良い人生とは、小さな「ありがとう」「ありがたい」「……のおかげで」

図表3-20　完全感謝と幸せ

という感謝を積み重ねて、感謝・満足が多く、幸せが多い人生のことです。

　また第3に、私たちは感謝し、幸せでいるときには、快でポジティブであり、常に最高の能力を発揮し続けることができるからです。そして、その最高のパフォーマンスで継続的な努力ができれば、**拡張形成理論**に基づき成果も上がり、成功もし易くなるからです。そして、成功すればそれに感謝し、幸せとなり、また新しいことに挑戦するという**幸せ・成功サイクル**という無限ループを回すことができます。

 完全感謝には多くの良いことがあるのですね！

 そのとおりです。

（3）　感謝すべき状況

 人生において「**感謝すべき状況**」には、どのようなものがありますか？

 一般的には通常の感謝をする状況を除き、特別に感謝すべき状況はあるようには思われません。しかし、人生を本当に成功し、幸せに生きるためには、感謝についてより深く考えることが大切です。この場合、感謝すべき状況は2つに分類されます（図表3-21）。

図表3-21　感謝すべき状況

(a) 現在の有難いこと	完全感謝	努力	将来の良いこと（進化向上）
(b) 現在の苦難（将来の有難いこと）			

　すなわち、第1に、前述のように、一般に私たちは (a) **有難いことが生じた時**に感謝を行います。他方、第2に、(b) **苦境や逆境が生じた時**には一般に本能的にできればそれを避けようとし、当然感謝はしません。ところが、将来の観点からすれば、現実には非常に難しいことではあるけれども、現在の苦境はそれを恨むのではなく、その先の将来において自分が進化向上しているのであれば意識的に感謝すべき状況です[60]（岩崎、前掲書、145-147頁）。

　現在の苦難に感謝することは、難しそうですね！

　そうですね、実際はかなり難しい側面があります。しかし、真理からいうと、日常的な有難いことのみならず、人生においてどんな苦難に遭って**一番厳しいどん底と思われるときにでも、切断思考に基づき感謝し、絶対に積極的で生きられるか**どうかが問われています。そして、ピンチはチャンスと考えて、感謝や積極性を保てることがその後の人生に極めて大きな

---

[60]　なお、稲盛和夫『成功の要諦』致知出版社、146頁を参照されたい。

影響を及ぼします。すなわち、どのような状況にあっても、常にそれに意識的に感謝して、その状況で何ができるのかを考え、ベストを尽くすことです。その理由は、過去志向的に現状を悩むのではなく、切断思考に基づき未来志向的に常により明るい未来を期待して前向きに積極的に努力することによって、自己の最高のパフォーマンスを発揮し、真に明るい未来が切り拓けるからです。

（4）　感謝の対象

👧　人生の生き方において「感謝の対象」には、どのようなものがあるのですか？

👴　人生において**感謝の対象**には、㋐**自分自身**と㋑**自分以外のすべてのこと**があります。

　まず、(a) 自分自身への思いやり（セルフ・コンパッション）に基づいて自分に感謝することです。すなわち、自分のあこがれ、夢や希望の達成に向けて日々最善の努力をし、密度の濃い充実した時間を過ごしている自分の努力を日々自分で承認し、感謝することによって、自己肯定感が得られます。これによって明日からも継続して努力をするためのエネルギーを得ることができ、螺旋的な進化向上ができる好循環に入ることができます。

次に、(b) 他の人や生じた出来事に感謝することです。これ
らに感謝すれば、それが人間であれば良好な人間関係が築け、
シナジーが発揮できる可能性が高くなります。

　以上のように、感謝に関連する事項をまとめると、図表3-
22 のようになります。

 このように、人生においてどのような出来事が生じよう
と、いつでも感謝の心を持って人生を送っていけば、より良好
な状況を創り出すことができ、周りの人に明るく積極的な印象
を与え、また良好な人間関係が築け、それに基づいてウインウ
イン関係となり、シナジーが発揮できる可能性も高まり、その
結果、より成功し、幸せになり易くなるのですね！

　　そのとおりです。

図表3-22　感謝と効果

	①感謝すべき出来事	②感謝すべき状況	③感謝の対象	関係	努力	効果
感謝	(a)有難いこと（不完全感謝）	(a)現在の有難いこと	(a)自分	良好な関係	自然体での継続的な努力	成功 幸せ
	(b)日常的なことも（完全感謝）	(b)現在の苦難（将来の有難いこと）	(b)すべての人・出来事			

9　潜在意識

　ここでは成功し幸せな人生を送るために夢を実現するときに最も有用な「潜在意識」の活用について説明しています。

　👩　人生における生き方において「夢の実現はどうすれば良い」のですか？

　👴　夢や希望を実現したい場合には、上手く**潜在意識の活用をすれば心に思い描いたとおりに夢や希望が実現します**[61]。すなわち、自分が本来持っている潜在意識の力を最大限発揮することによって、成功し幸せに生きることができます。なお、潜在意識を有効に働かせるために、以下で示すように、顕在意識と積極的な自己暗示を活用します。暗示の活用においては積極暗示のみを活用（「**積極的な暗示の取捨選択**」）します。また、人生の大部分は自分自身との対話（セルフトーク）です。そこで、自己効力感を持って、このセルフトークにおいて自分への思いやりに基づき心の栄養となる積極的な言葉を上手く活用し、反対に毒となる消極的な言葉は潜在意識の中には入れないように言

---

[61]　なお、この潜在意識の活用については、現在の生活の基盤になっている著者自身の大学院受験や公認会計士受験などの経験を基礎としています。

図表3-23　潜在意識の活用と夢の実現

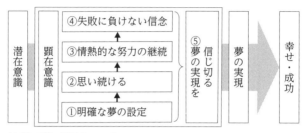

（出所）岩崎、前掲書、175頁。

葉を選んで使うことが大切です。

　夢や希望を叶えるための潜在意識の活用の要点は、図表3-23のとおりです。

①　明確な夢の設定

　まず、潜在意識を活用するためには、**視覚化法**（ビジュアライゼーション）によって明るくワクワクする未来の**明確で具体的な夢（目標）を描くことが大切**です。なぜならば、努力の先にある明るくワクワクした未来の姿や状態がないと、明確な目標に向かっての継続的な努力ができないからです。つまり、夢は明確でなければならず、不明確なものではなかなか明確なメッセージが潜在意識へ到達しないからです。

　なお、**夢の達成**のためには、**思考の現実化ないし現象化とい**

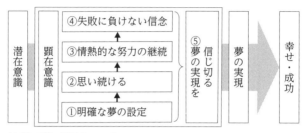

図表3-24　張紙法

> **夢：オリンピックで金メダル！**

う方法を活用します。すなわち、具体的には周知のとおり、**プライミング効果**[62] を活用し、多くの人が行っているように、「夢：○○」と張り紙にして壁に張っておくこと（**張紙法**）が非常に効果があります（図表3-24）。また、私たちは意識しながら実際に見たり、聞いたりしたことが、その後の行動に影響を与えるという**サブリミナル効果**[63] があります。それゆえ、このような張紙法は目的達成の有効な手段となります。

②　夢の信念化

　次に、潜在意識を活用するためには、顕在意識を上手く利用する必要があります。つまり、まずワクワクする夢の実現を日夜顕在意識で思い続けること（「**夢の信念化**[64]」）です。すなわち、**ABC理論**によって顕在意識で継続的に夢の実現をインプット

---

[62] **プライミング効果**（①：785頁）とは、私たちの行動は先に入っている情報（である潜在意識など）に影響されるという効果のことです。

[63] **サブリミナル効果**とは**サブリミナル意識**（①：321頁）である潜在意識に特定の情報を送り込み、刷り込むことによって、行動に影響を与える効果のことです。

[64] このように、感情的な自分に別の意識による自分が話しかける**セルフトーク**（①：517頁）も**メタ認知**の一種です。これを活用することによって、自分を褒め、励まし、自信を付け、目標を達成することも可能です。

図表3-25　努力とやりがい

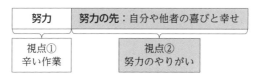

する（思考を繰り返す）ことによって、自己効力感を持ってワクワクする夢の実現が確実にできるという信念を潜在意識に染み込ませ、既にその夢が実現したという確信を持つことが大切です。この場合、例えば、「本当に大丈夫かな～?」などと時々ネガティブな考えをすることによって、潜在意識に迷いを生じさせては絶対にいけません。

③　努力の信念化

　図表3-25のように、努力のその先にある夢に向かって、情熱と自己効力感を持って、ワクワクしながら夢が叶うまで努力を継続すること（「**努力の信念化**」）が大切です。そして、良い人生を送るのに一番大切な能力は夢の達成まで努力を続けられる**意志力**と**努力の習慣化**です。

④　失敗に挫けない努力

　何度失敗し壁にぶつかっても、くよくよしてそれに挫けず、未来志向に基づき前向きに成功への一里塚（すなわち失敗ではなく未成功ないし成功の途中：この方法では成功できないとわかること）と思って不屈の精神で夢を諦めずに、ポジティブな暗示をかけ続けると共に上への努力を続け、最後までやり抜くこと（「失敗に負けない努力」）が大切です。この場合、閾下知覚（①：29頁）によって見たり、聞いたりしたことが私たちの行動に影響を及ぼすので、心の栄養素としては積極的な思考や言葉（ポジティブな暗示）が大切です。それゆえ、**自己宣言**（アファメーション）や単語法[65]を利用して、呪文のように「絶対にできる！」と繰り返して、積極的な自己暗示をかけ続けることが大切です。

　また、ポジティブなセルフトークを活用して、どのようなことがあっても絶対に諦めないと自分に言い聞かせることも有効です。この場合、改善思考に基づいて失敗に学び、考え方を修

---

[65]　田口未和訳、ルー・タイス著『アファメーション―人生を変える！　伝説のコーチの言葉と５つの法則』フォレスト出版。**自己宣言（アファメーション）** とは自分に対する**肯定的な宣言**のことです。例えば、「私には夢の達成についての信念がある」というように信念のものです。これを呪文のように信念を持って心の中で繰り返す（**ポジティブなセルフトーク**をする）ことによって、潜在意識に染み込ませ、その宣言の内容を実現しようとするものです。これを簡略化し、例えば、「信念、信念、信念！」というように、単語だけを信念を持って繰り返すことによって積極的な自己暗示をかける方法のことを**単語法**といい、この方法は良いセルフイメージを形成し、**理想の自分になる**ために有効な方法です。

正し、常に改良を加え、継続的な上への努力を積み重ねること
が大切です。

⑤　夢の実現の信念化

　夢が実現するまで自己効力感を持って夢の実現を絶対に信じ
ること（「**夢の実現の信念化**」）です。そして、最後まで明るく積極
的で継続的な努力を続け、最後までやり抜きます。

　　そうですか。以上のことをまとめると、潜在意識を活用
して夢を実現するためには、㋐ワクワクする明確な夢を設定す
ること、㋑その夢を、信念を持って潜在意識へ刻み込むこと、
㋒その夢を実現するための努力の習慣化と㋓夢の実現までやり
抜く強い心が必要なのですね。

　　よく理解できましたね！

⑥　心の栄養としての暗示の活用

　このように、潜在意識を活用した夢の実現のためには、心に
も栄養を与えなければなりません。この場合、**心の栄養となる
ものが積極的な暗示**と**自己成長感**です。それゆえ、夢が実現す
るまで強い心を維持するためには、心の毒である、例えば、ド
リーム・キラーである「大丈夫かな〜?」というような消極的

な暗示の受け入れを拒否し、反対に心の栄養となる積極的な暗示を、信念を持って自分自身に与え続け（「**積極的な暗示の取捨選択**」）、夢の実現に向けて継続的な努力の習慣化と自己が少しずつ成長しているという自己成長感を持つことが重要です。

10　空

　ここでは成功し幸せな人生を送るために、苦からの解放に有用な「空（くう）」の概念、「苦境克服法」や「苦境時に有用な思考」などについて説明しています。

（1）　空の意義

🧑‍🦰　人生における苦しみについて、どうすれば「苦から解放される」のですか？

👴　苦から解放されるためには、東洋哲学のうち最も深遠な概念の１つである空を理解することが重要です。ここで「**空**」とは簡単に言えば、**すべての現象は見えるけれども、（固定的な実体として）有るのではない、カゲロウのような空相の存在である**ということであり、このように捉える考え方が**空の哲学**です。より具体的に説明すれば、例えば、台風のように、切れ目

なく連続して現象が生じると、あたかも1つの固定的な実体があるもののように一見見えます。しかし、真実は、万物は素粒子（波動ないしエネルギー）からなるエネルギー体であり、この素粒子の連続的な流れであるすべての現象は、見えるけれども**（固定的な実体として）有るのではない**、一時的に生じている空相の存在であるということです。

（2） 苦の種類

👧　人生で生じる「苦の種類」には、どのようなものがあるのですか？

👴　人生で生じる**苦の種類**は、大きく2つに分類されます（図表3-26）。

　第1に、例えば、お金や衣食住などのように、**社会経済的な側面から生じる苦**があります。これは自分の外側で生じる苦で

図表3-26　苦の種類

苦の種類	具　体　例	重　視	性　　質
①外側の苦	お金、衣食住、地位など	西洋で重視	物質文明的：持ち物への欲求に関する苦
②内側の苦*	四苦八苦など	東洋で重視	精神文明的：持ち主の生き方に関する苦

＊：すべての人間すなわち王様でも避けられない苦のこと。

あり、また、一般的に西洋的な物質文明で重視されるものであり、わが国においても非常に重視されています。これは、例えば、生活するためのお金が十分にないというように、自分があるものをどの位所有している（having）のかという持ち物への欲求（**ハビング志向**）から生じるもので、それが十分に得られないときに感じる苦です。この苦への対処は政治などによる社会経済対策や自助努力として実行されるものです。第２に、例えば、老いや病気などの四苦八苦[66]のように、人間として**生きていることから生じる苦**があります。これは自分の内側で生じる苦であり、また、一般的に東洋的な精神文明で重視されるものです。この苦への対処は思想や宗教などによる救済として行われるものです。

（3）　苦の処理方法

苦境時などに「苦を処理する方法」には、どのようなものがあるのですか？

---

[66]　四苦八苦は本来東洋思想用語であり、どのような人間でも必ず経験する肉体的・精神的な苦痛のことです。すなわち**四苦八苦**とは、**四苦**（生老病死：人間が肉体という物質的形態を取ることで生じる肉体的な苦のこと）と精神的な苦：**愛別離苦**（愛する人と別れなければならない苦）、**怨憎会苦**（会いたくない人と会わなければならない苦）、**求不得苦**（求めるものが得られない苦）、**五蘊盛苦**（健康で盛んであるがゆえの苦）を合わせたもののことです。

図表3-27　苦の処理方法

苦　　　　の　　　　処　　　　理　　　　方　　　　法	
（1）自 己 処 理 法	（2）外 部 依 存 法
①自己統制法 　　自己を統制する方法	①神仏祈願法 　　神仏に祈願する方法
②苦楽包摂法 　　より大きな楽によって苦を包摂する 　方法	②酒薬依存法 　　酒薬で治す方法
③その他の方法 　　例：泣く、眠る、食べる、スポーツ 　など	③その他の方法 　　例：カウンセリング、セラピーなど

（出所）岩崎、前掲書、175頁。〔一部変更〕

　苦の処理方法には、図表3-27のように、自分で苦を処理する方法である**自己処理法**と苦の処理を外部に依存する方法である**外部依存法**があります（岩崎、前掲書、190-193頁）。

　さらに、自己処理法には自己を統制（コントロール）することによって苦を処理する**自己統制法**、より大きな楽によって苦を包摂する**苦楽包摂法**とその他の方法があり、他方、**外部依存法**には神仏に祈願して苦を処理する方法である**神仏祈願法**、酒薬に依存する方法である**酒薬依存法**とその他の方法があります。

（4）　自己統制法（苦境克服法）

　苦を「自己統制によって処理する方法」には、どのよう

図表3-28　自己統制法（苦境克服法）

方　　　法	内　　　　　容
①便益発見法	苦境などの良い面である便益を見つけ出して、苦を克服する方法
②課題分離法	課題を自己の課題と他人の課題に分離し、自己の課題の対処のみに集中する方法
③弁証法	生じた課題や問題に正対して苦を処理する方法
④空観法	すべての現象を空相と捉えて苦を処理する方法
⑤捨我法	自我（エゴ）を捨てて苦を処理する方法
⑥自己観察法	感情的な私を別の理性的な私が冷静に観察することによって苦を処理する方法
⑦複数解答法	解答には複数のものがあると考えることによって苦を処理する方法
⑧「……と思った」法	バーチャルな思考の世界で「……と思った」が、今のリアルな現実の世界ではそうなっていないことを確認して苦を処理する方法
⑨大いなるもの法	大いなるもの（Something Great）に導かれていると思って苦を処理する方法
⑩潜在意識法	課題の解決（夢）をワクワクしてありありとイメージ（設定）し、情熱的な努力を継続し、潜在意識を活用して課題を解決（夢を達成）する方法

なものがあるのですか？

　　　有用な**自己統制法**（**苦境克服法**）として、例えば、図表3-28のようなものがあります。なお、これに関連して、苦境や逆境などに遭った時に忍耐強くそれを乗り越えていく力を**レジリエンス**（「**逆境力**」）といいます。この場合、その出来事に悩むことを止め、将来を志向して、それをどのように捉え、解釈

するのか（「**解釈力**」）と、どう対処するのか（「**対処力**」）が最も重要です。そして、それをどのように解釈し、対処するかで、その後の人生に非常に大きな影響をもたらします。言い換えれば、困難（ピンチ）は絶望にも大きなチャンスにもなるということです。

　すなわち、人生に困難はなく、それを困難にしているのは私たち自身の考え方です。過去を見て悔むのではなく、切断思考に基づいて今とその先の未来を見つめて現在の解決法と明るい未来の可能性に集中し、忍耐強く現在できることを実行することこそが大切です。そして、改善への知的な探究心を駆使し、上への努力を積み重ねるという長い忍耐を経て、苦境を乗り越える（悩む→**考え・解釈する**→**行動・対処**→**課題の解決**）時に、人間的な成長（**心的外傷後成長**）がなされます。このように、どのような苦境に遭っても、明るい未来を期待して、周囲を鼓舞し、雰囲気を和らげ、ポジティブに生きていきたいものです。

　苦の処理についての概要はわかりましたので、具体的な方法について説明して下さい。

　わかりました。少し長いですけど、お付き合いください。

　第①の**便益発見法**（ベネフィット・ファインディング法）は**苦境な**

図表3-29　便益発見法

物事	①悪い面←着目 損害発見法：ネガティブ思考：ついてない思考	リフレーミング （認知再構成法）
	②良い面←着目 便益発見法：ポジティブ思考：ついてる思考	

どすべての事象や出来事の本質は中立的であり、必ず良い面・悪い面の両面があり、その良い面である便益（ベネフィット）を見つけ出して、それによって苦境を克服する方法です（図表3-29）。例えば、この苦境を克服できれば、より大きな会社に成長させることができることやこの苦境から学び、自己成長することができることなど、その苦境の良い面である便益を見つけ出して、その苦境を乗り越えるエネルギーを得、苦境を克服していく方法です。

　第②の**課題分離法**は**アドラー**の唱えた方法で、まず**課題を自分が解決（コントロール）可能な「自己の課題」と自分の力ではどうしようもない（コントロール不能な）その他の課題（「他人の課題」）に分離します**（「課題分離」）[67]。そして、**コントロール可能な自己の課題の解決のみにエネルギーを集中し、他人の課題は気にかけないという方法**です。すなわち、自分の解決可能な課

---

[67]　岸見・古賀、前掲書、140頁。

題のみに全力を傾注し、他人の課題は自己の力ではどうしようもないので、ストレス軽減のためにも素直に諦念し、気にかけないことが大切です。つまり、いわゆる「人事を尽くして天命を待つ」という考え方で、これは関心事項と影響事項と同様な考え方です。

　第③の**弁証法**は**ヘーゲル**の唱えた方法で、ある**意見や状況など**（正：これまでの順調な状況）**に対して対立・矛盾するような状況**（反：苦境）**が生じた場合に、それを切り捨てるのではなく、それを取り込み、それに正面から対処し、より高い次元で問題を解決する方法**（合）です。

　第④の**空観法**は東洋哲学の中心的な考え方の１つであり、**すべての現象は固定的な実体のないものすなわち空相のものと観て、苦を処理する方法**です[68]。すなわち、確かに私たちは苦痛を感じているので、苦痛に実体があると西洋流に一般に考えます。ところが、東洋哲学から言えば、確かに現象としての苦痛

68　これは『般若心経』における色即是空の内容です。中村元・紀野一義訳注『般若心経・金剛般若経』岩波文庫。なお、これの具体例として、例えば、台風という現象があります。私たちはこれについて西洋流に固定的な実体があるものと捉えるのが一般的です。確かに現象を観れば、例えば、超大型の台風による土砂崩れや河川の氾濫によって甚大な被害を実際に与えている場合には、固定的な実体はあると考えても不思議ではありません。しかし、東洋哲学では台風という（固定的な）実体はないと考えます。すなわち、台風はその時々の環境に応じてその内容を大きく変化させながら発生し、発達し、消滅するものであり、そこにおいては刻々と変化する現象は確かにあるけれども、固定的な実体はないもの（すなわち「空相のもの」）と捉えます。

はあるけれども、その固定的な実体はないものと捉えます。そして、状況を変えればその苦の状態も変化すること、つまり苦痛はコントロール可能であると捉え、苦に心を向けるのではなく、他の嬉しい将来の姿などのポジティブなものに心を向けることによって、苦を受け流すことです。

　第⑤の**捨我法**(しゃがほう)は東洋哲学の中心的な考え方の１つであり、**自我(エゴ)を捨てることによって(エゴから生じる)苦から解放される方法**です[69]。私たちは自我に従って快苦の観点から自然に自分の好きなものを得ようとし、嫌いなものを避けようとします。そして、好きなものが得られなかったり、反対に嫌いなものが避けられなかったりすると自然に苦痛を感じます。しかし、これらを第３者的に見てみると、自我があるから苦痛が生じていることが明確になります。その証拠に、第３者はそのことに苦痛を感じていないので、このことは明らかです。それゆえ、このことを深く考えた場合、自我(エゴ)を捨てれば苦痛もなくなるということが理解できます(しかし、実際にはなかなか自我が捨てられない人が多いので、苦痛を感じ続けるのが一般ですが)。そこで、普段から自我が感情に強く表れているということを自覚し、それを捨てることによって、苦痛もなくなりうるというこ

69　これは東洋哲学で最も基本的な考え方です。

とを知っておき、自我を捨てる練習を積み重ねることが大切です。

　第⑥の**自己観察法**は東洋哲学の考え方の１つであり、**普段感情やエゴで行動している自己をもう１人の私が客観的に冷静に観察することによって、苦を処理する方法**です。すなわち、これは「**自分**（「意識としての自分」：「見ている私」）**で自分**（「感情的な自己」：「見られている私」）**が見えている**」[70] という状況です。このように、実は既に気づいている人もいるかと思いますが、私たちの思考の中には２人の私がいます。すなわち、普段感情に従って行動している自己（すなわち**見られている私**）とその自己を冷静に客観的・理性的に観察しているもう１人の私（すなわち**見ている方の私**）がいます[71]。そして、感情的になって泣き笑いしている自己を、もう１人の私が冷静に客観的に第３者の目を持って観察（**メタ認知**）しています。これは自己観察（**セルフ・モニタリング**）やマインドフルネス瞑想（めいそう）などを行っている時の状況であり、これによって心をコントロールすることが可能です。すなわち、メタ認知を活用することによって、自分を第３者の目で客観視し、自分で自分の心を落ち着かせ、ネガティブな感情に

70　このような状況にある人は成熟した人格の持ち主です。

71　このうち本当の私（真我）は、日常生活で大部分の意識を占め、日常的に自分であると考えている感情的な見られている私ではなく、冷静に見ている私の方です。

なっている自分を冷静な私へ転換し、理性的な判断に沿ってその状況においてベストな方法を選択・実行することによって、苦を処理するものです。

第⑦の**複数解答法**はとても実践的な方法で、苦の解消のための**解答は1つだけではなく、必ず複数の代替可能のものがあると考えることによって、苦を処理する方法**です。すなわち、例えば、山登りをする場合、頂上の目指し方は何とおりもあると考え、たとえベストの解答が見つけられなくても、第2（second best）の解答、第3（third best）の解答があると考えてポジティブに行動する方法です。

第⑧の「……と思った」法[72]はとても実践的な方法で、私たちは思考内のバーチャルな（虚構の）世界で将来のことをいろいろと心配し、恐れ、「……したらどうしよう」と思い、せっかく持っている心のエネルギーを不要にすり減らし（「**現実と虚構の混同**」すなわち**フュージョン**し）ていることが少なくありません。しかし、今のリアルな世界である現実は心配したようになっていない、すなわち杞憂であることを確認し[73]て、心配は自分が心の中で単に想像していることに過ぎないということを実感

---

[72]　鈴木、前掲書、136頁。
[73]　これを**現実と虚構の混同からの脱出**ないし**脱フュージョン**といいます。

（脱フュージョン）して、現在の課題に全エネルギーを傾けて対処することによって苦境を克服していく方法です。

第⑨の**大いなるもの法**は少しスピリチュアルな考え方ですが、とても実践的なもので、**自己の人生のすべては大宇宙の「大いなるもの」**（Something Great[74]）**に導かれていると思って、孤独感なく安心して苦を処理する方法です**。すなわち、これは**ヤスパース**的な考え方で、人は苦境などの**限界状況**[75]に出合うと、**超越者**ないし大いなるものと出会い、そこで自己のあり方に気付かされ（443頁）、それに導かれて苦境を克服していくものです。すなわち、現在生じている苦境は、大宇宙の大いなるものが自己を成長させるために与えている試練であり、孤独感なく安心してこの苦境から学ぶべきものを学び、真剣に正面から向き合っていけば必ず苦境を克服でき、しかも自己の成長もできると前向きに考えて、継続した上への努力でその苦境を克服していく方法（苦境という否定的な状況―【大いなるもの：リフレーミング：転換】→前向きな努力→苦境の克服）です。現実の社会ではこの方法で禍を転じて福と為し、苦境を乗り越えていく人も少なくありません。このようにして苦境を乗り越える過程で、自己

74　これは神、仏、天、宇宙霊、偉大なる何者かなどと呼ばれることもあります。

75　小倉志祥・林田新二・渡辺二郎訳、ヤスパース著『哲学』中公クラシックス、339頁。

が成長し、自己肯定感や感謝の念が湧き上がります。

　第⑩の**潜在意識法**とは日夜[76]課題の解決した情景（夢）を、自己効力感を持ってワクワクしてありありとイメージし、それを思い続け、その達成を目指し、情熱的な努力を継続することによって潜在意識の働きを活用し、課題を解決する方法のことです。

　すご〜い！　多くの苦境克服法があるのですね！　その時々の状況に応じて最適と考えられるいくつかのものを活用して、今後苦や苦境を克服していきたいと思います。

　是非、活用して下さい。

（5）　苦境時に有用な思考

　人生において直面する「苦境時に有用な思考」があるのですか？

　苦境時に有用な思考として、例えば、弁証法、複眼思考、包摂思考、改善思考及び成長思考などがあります（図表 3-30）。このうち弁証法は他の 4 つの思考法を統合しているとても包括的で有用な思考法です。

---

[76]　特に寝る直前にリラックスした状態が望ましく、その他に、朝起きた時や日中においても信念となるまで何回もイメージすることが大切です。

図表3-30　苦境時に有用な思考

①弁証法	ある意見や状況など（正）に対して、対立・矛盾するような状況（反）が生じた場合に、それを切り捨てることなく、それを取り込み、それに正面から対処し、より高い次元で問題を解決する方法（合）
②複眼思考	自己の現状を一歩下がって一段高いところから見るものであり、自分の不幸や不満などばかりではなく、自分の恵まれた状況も見ることによって、苦境を乗り超えるためのエネルギーを得、苦境を克服しようという考え方
③包摂思考	現在自己に生じている現象は何か深い意味があるものであるとそれを受け入れ、苦境を乗り越えることに全力を尽くそうという考え方（「逆境観」）
④改善思考	問題や課題に遭遇した時に、その問題点などを内省し、改善して問題を解決していこうという考え方
⑤成長思考	人間には生まれつき成長する能力が備わっており、それゆえ、苦境なども自己の能力を高め、成長していけば必ず克服できるという考え方

①　弁証法

　苦境の時に最も有用な思考はヘーゲルの弁証法です。すなわち、弁証法はある意見や状況（正）に対して対立・矛盾するような状況（反）が生じた場合に、それを切り捨てるのではなく、それを取り込み、それに正面から対処し、より高い次元で問題を解決（合）する思考法です（図表3-31）。

　この方法は正反合を繰り返しながら螺旋的に無限に進化向上を目指すものです。これは、以下で説明する複眼思考、包摂思考、改善思考及び成長思考をすべて取り入れた包括的な思考

図表3-31　弁証法と複眼・包摂・改善・成長思考

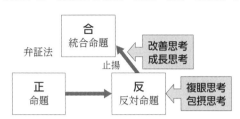

で、非常に有用なものです。

②　複眼思考

　複眼思考とは自己の現状を一歩後ろに退いて一段高いところから見るものであり、㋐視野の狭いいわゆる**トンネル視**（tunnel vision）によって自分より恵まれた状況の人と比較して、自己が現在置かれている不幸などの状況（「**上方比較**」）ばかりでなく、視野を広げ、想像力を働かせ、自分より厳しく恵まれない状況に多くの人がいるという自分の恵まれている側面も同時に見る（「**下方比較**」する）ことによって、まだ自分が見捨てられていないという安心感とエネルギーを得て、また、㋑その試練の意味を考え、学びのための絶好の機会であると考え、その苦境に立ち向かい、苦境を克服しようとする考え方です。

③　包摂思考

　包摂思考とは、現在自己に生じている苦境などのすべての現象は、未来の視点から自己にとって深い意味があるから生じたものであり、自分の成長のために価値のあるベストの機会であるとポジティブに解釈[77]し、それを受け入れ学ぶべきものを学び、苦境を乗り越えることに全力を尽くすという考え方です。このように、その出来事を上手く解釈するという解釈力を発揮することによって、人生を切り拓くために、一見不幸や災難に思われるような苦境を学ぶべき**意味のある出来事**そして**自己の成長のための機会に代える**ことができます。

④　改善思考

　反省思考とは、失敗などで問題が生じた時に、それを繰り返し反省する思考法であり、過去志向的なものです。もしこの段階で止まってしまうとネガティブで自信喪失[78]や自己嫌悪に陥ることになりかねないものです。他方、**改善思考**はポジティブ

---

[77]　逆境を克服していくためには、このような解釈や意味付けができるという解釈力を養うことが大切です。この場合、前述の**便益発見法**や**ついてる思考**（ある物事が生じた時に、ネガティブな側面に注目するのではなく、ポジティブな側面に注目し、何が生じても「ついてる！」と考えるもの）などを活用し、ポジティブな解釈をすることがポイントです。

[78]　**自信喪失原因**には、失敗、他人からの低評価、他人の目、行動回避、自己評価の低さなどがあります。

で未来志向的なものであり、一般的で誰もが自然に実践している方法で、問題に遭遇（そうぐう）した時に、それに悩むのではなく、改善が必要であるという合図と考え、問題点などを前向きに検討し、内省し、これまでの考え方を修正し、改善し、上への努力をすることによって、問題を解決していく考え方です（「**行動→問題→内省→改善→行動→成功**」）。

⑤　成長思考

　自己の能力や性格などについて、**固定思考法**では生まれつき決まっていると自己の能力の自己限定を行い、これまで経験したことのない苦境に対して「これは無理だ！」と自己の能力では克服できないと考えます。他方、**成長思考**では人間には生まれつき成長する能力が備わっており、自己の能力などは現在進行形で成長しており、自己の能力を高め成長していけば、苦境なども必ず克服できると考えます。この考え方は、自己効力感の高い人が取る場合が多く、苦境などに遭遇するとチャレンジ反応が起こり、苦境に対して自己効力感を持ってチャレンジする勇気と力が湧き、未来のために今できる対策を考え、積極的に上への努力でそれに対処していけます。このように、どちらの思考パターン（マインドセット）を採用するかによって、その

結果に大きな影響が現われます（**マインドセット効果**）。

　すご〜い！　苦境時に有用な思考についても多くのものがあるのですね！　今後大いに活用していきたいと思います！

　是非活用して下さい。

（6）　他律と自律

　人生における「苦と他律・自律との関係」は、どう考えれば良いのですか？

　苦の処理方法としては大きく他律的な方法と自律的な方法とがあります（図表3-32）[79]。ここで**他律的な方法**とは、苦痛などの外部の状況や刺激を機縁として、それに対して自己の動物的な本能による快苦の感情に基づいて好きなものを渇望し、

図表3-32　他律と自律

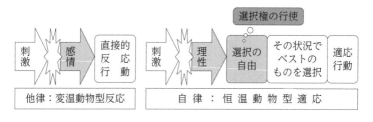

---

[79] **コヴィー**はこれを**反応性モデル**と**主体性モデル**と呼んでいます。コヴィー、前掲書、82-84頁。

嫌いなものを避けようとして、反射的、他律的、感情的に反応する方法です。

　これは**直接反応型・変温動物型反応**[80] であり、例えてみれば、感情の踊り子や反応的な人という状態です。この場合、好きなものを得られない時や、嫌いなものを避けられない時に、苦が生じます。すなわち、自己の好き嫌いに対する反射的な反応が苦の原因となっています。現実の社会では、この他律的な状況で生活している人が少なくありません。

　😊　直接的反応は自律的なものと考えていたけれども、他律的なものだったのですね！

　🧓　そのとおりです。他方、**自律的な適応**とはその時々の状況や環境に左右されず、外部刺激に対してメタ認知などによって瞬間的に理性的に自己統制を正常に働かせ、自分軸としての自己の価値観に基づき自己の選択権や決定権を有効に行使し、その結果外部刺激に対して直接的に反応せず、その状況でベストのものを理性的に選択し、適応行動を取るものです。これは外部刺激とそれに伴う感情からの解放、つまり感覚と思考とを分離するものです。これは刺激に対して反射的な反応をしない

---

[80]　自分軸としての自己のしっかりとした価値観に基づかず、外部のその時々の状況や環境に大きく左右され、外部刺激によって、自分の感情も反射的に絶えず変化させてしまうもの。

ことであり、自己の価値観に基づく思考の主体性を回復するものです。すなわち、これは**選択対応型・恒温動物型適応**[81] です。つまり、これは自己の選択権を行使して、刺激に対して反射的な反応をせず、自己の価値観に基づく自律的な状態に自己を保つこと、つまり、自分の機嫌を自分で上手く取ることです。別言すれば、これは外部刺激を自分で自由にコントロールするものです。

---

[81]　外部刺激によらず、常に心のバランスを失わず、機嫌が良く、ベストが尽くせ、幸せな状況にしておくもの。

☕ コーヒーブレイク
コミュニケーション

　コミュニケーションにおいては会話の内容という**言語コミュニケーション**（日本心理学諸学会連合、前掲書、126頁）のみならず、表情、話し方、声のトーンなど**非言語コミュニケーション**（同上、127頁）も非常に重要であり、円滑で良好なコミュニケーションは自分から笑顔[82]で挨拶することから始まります。また、コミュニケーション力は家族との会話や友達付き合いをすることなどによって身に付き、磨かれます。

　この場合、雑談などに多く参加するという**単純接触効果**[83]によって、親近感や好印象度が上がります。そして、コミュニケーションは双方向での会話なので、相手の気持ちを想像し、共感しながら話すことが大切です。すなわち、自分に意識を向け、自分の意見を自己主張するよりも、相手に意識を向け、相手に興味を持ち、相手から教わる姿勢で**相手の話をよく聞き**、相手の話に相づちを打ち、共感する方が、コミュニケーションが円滑になります。

　また、日常の会話や相づちを打つ場合に、褒め言葉を上手く活用して**褒め上手**になれば、その場がさらに盛り上がります。そして、**同調効果（ミラーリング効果：鏡のよう相手のしぐさをまね、話題の共通点を探し出し会話を弾ませることによって好感度を上げること）**を活用し、親近感を持ってもらうのも良いでしょう。また、似た者同士はお互いに引き合うという**類似性の原理**を利用して、お互いの共通点を話し合うこともコミュニケーションがスムーズになります。この場合、自分の失敗談や欠点など秘密をさらけだして話すという**自己開示**（②：296頁）によって、好印象を得られ、より親密度が増します。

そして、言葉は口からではなく心から出し、声のトーン、身振り手振りや表情まで愛情を込めて行うことが大切です。さらに、コミュニケーションの手段として、会話ばかりでなく、手などを動かし、表情豊かに話すと**メラビアンの法則**[84] によって、好印象となります。

82　ニコッとした笑顔は好印象を、反対に真顔はネガティブな印象を与えます。
83　**単純接触効果（ザイオンス効果**：①：581 頁）とは一般に接触回数が多いほど、親近感や好印象度が上がるという効果のことです。
84　**メラビアンの法則**とは、コミュニケーションにおいて話している内容という言語的な内容よりも、目に見える視覚情報や耳に聞こえる聴覚情報などという非言語コミュニケーションを重視するという法則のことです。

第4章

恋　愛

皆さん、う〜ん、恋人が欲しい、もっと恋人と仲良くなりたい、より良い夫婦関係でいたい、相手とより一層素敵な関係になりたい、と思った経験をお持ちかと思います。さあ〜、これからより素敵な恋愛関係を築き、笑顔あふれ、幸せな人生を送るための扉を開けてみましょう！

1　親しくなるプロセス

　まず最初に恋愛における親しくなるプロセスについて教えてください。

　恋愛における親しくなるプロセスについては、図表 4-1 のように、まず、①「出会い」において、格好いい、綺麗、素敵など何となく感じが良くフィーリングが合いそうという魅力を感じ、また会いたいとの気持ちが起こります。さらに、②「初期段階の付き合い」では、少し深い自己紹介をし、コミュニケーションをはかりながら、相手が何を求めているのかを想像します。また、一緒に楽しいことをすることで共感し、より親しくなります。さらに、③「深化した付き合い」では、お互いの共通部分や得意分野の組み合わせを生かし、シナジーを高め合う関係へと発展します。さらに、お互いに波長が合ってく

- 「ありがとう」「ツイてる」「おかげさまで」というポジティブ言葉で幸せな人間関係を築くこと[3]
- ネガティブ言葉からポジティブ言葉に言い換えて話すこと
- きつい言葉で質問をせずに、相手を観察し、何を求めているのか想像してみること[4]
- 優しさや癒しによってお互いに安らぐこと
- 相手の素敵なところを褒め、共感し、応援を心掛けること
- 嫌なことがあっても、常に自分の機嫌を取ること
- 自分の機嫌をよくできるものをいくつか持っておくこと
- 呼吸を整えたり、瞑想をしてリラックスすること
- 相手を許す度量の広さや物事をいろいろな視点から眺められる多眼思考を持つこと
- お互いに尊敬できるように人間性を磨くこと
- 毎朝新しい気持ちで迎えること
- 永遠にこの人と一緒にいたいとの熱い思いがあること
- お互いにスキンシップを図ること
- 今この瞬間を互いに大切に過ごし、勇気を持って2人で幸せな人生を築くこと

---

3 五日市剛他著『ツキを呼ぶ「魔法の言葉」』マキノ出版、12-13頁。
4 植西聰『話し方を変えると「いいこと」がいっぱい起こる！』王様文庫、56-64頁。

初夏になると小玉スイカが楽しみな季節となります。その種類の中に「ウリボウ」[5]と「ヒトリジメ」があります。

この人が好きだ〜！という気持になると、まさしく、このネーミングのとおり、「ウリボウ」と「ヒトリジメ」の心情となりますが、これは、恋と愛の違いなどの境目なく、誰しもが共感するのではないかと思います。

なお、季節柄、ひと夏の恋にご注意を！

 教えて頂いたものを参考にして頑張りま〜す。

 頑張ってください。

② 恋愛における慎重さ、積極性と心の持ちようの大切さ

 恋愛における慎重さ、積極性と心の持ちようの大切さとは、どのようなことですか？

 恋愛において自身と相手との距離感を意識しながら、ポジティブな心で、後悔しないように、相手の真の人間性を理解するという慎重さを持つことも大切です。具体的な行動とし

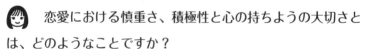

[5] 「ウリボウ」とは、イノシシの子どもです。イノシシは猪突猛進の行動を取るものとして例えられます。

て、①相手に自分に対する好印象を与え、②連絡先を教え合い、③できるだけ多く接触する機会を作り、④相手を慎重に観察することなどが挙げられます。さらに、お互いに共通の話題や目標を持つことで、素敵な恋愛が進展していき[6]、将来に向けてよりワクワクする楽しい時間を過ごすことができます。相手との関係性を長い目で捉えながら、今この瞬間を大切にし、良好なコミュニケーションを図り、自分軸を持つと同時に、お互いに理解を深めたいものです。共に幸せになるための人生だからこそ後悔しないように慎重に、かつチャレンジ精神も生かしていきたいものです。

慎重さとチャレンジ精神のバランスが大切なのですね！

そのとおりです。なお、**喜び・楽しみは幸せをもたらし**ますが、**優しさ・思いやり・温かさ・感謝**などの愛情がその根底にあることが大切です。また、**不安や心配を動機とした**ネガティブなことがよぎる時には、お互いのコミュニケーションを大切にし、ネガティブな思考や言葉を「ツイてる」などに言い換えて（リフレーミングして）、**お互いに明るく、楽しく、元気はつらつ、前向きに物事を捉える**というポジティブな心の持ちよ

---

6 恋愛がうまく進展しない際には、①こんなこともあるよね、と焦らない、②相手のことを少しでも多く知り理解し、次の機会に繋げるなどがあります。

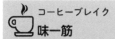
うが大切です。このように、勇気と同時に慎重であることを心
掛け、今この時間をお互いに大切に過ごし、２人でいると自然
と笑み、かけがえのない喜びや存在へと発展して行きたいもの
です。

 ポジティブな心と慎重さのバランスが大切なのですね！

　　そのとおりです。

2　成長と人間性

　ここでは恋愛において重要な「成長と人間性」について説明
しています。

🧑　恋愛における学びから人間性をどのように高めていけば良いのでしょうか？

👴　そのためには、まず自分と相手との気持ちを誠実に考え、行動することが大切です。すなわち、「ごめんなさい」「ありがとう」という気持ちを素直に伝えることができると、お互いのわだかまりが少なく、より仲の良い関係性を築くことができます。そして、お互いに物事をポジティブに捉え、相手を**多眼思考**で広く受け止めることが重要です。

　また、自分と相手の個性を大切にし、お互いの**特技や個性を伸ばしていくほど**、より大きなシナジーが得られ、より高い**相互依存関係**となり、より強い絆で結ばれることも、恋愛における成長過程の楽しみの１つです。

　そして、**日々是好日**という言葉がありますが、このようなポジティブさで、困難な時もお互いに協力し、力強く生きて、成長し、恋愛の延長線として結婚が見えてくるでしょう。そして、互いの夢を応援しながら、温かい家庭を築くと、**最高の人生**として**太く、長く、広く、深くそして幸せな人生を共に**歩むことができるでしょう。

　他方、私たちは、無意識に「男とは女とは」「夫・妻とは」「家族とは」「人とは」という枠をはめがちですが、そのような

枠に促われず、コミュニケーションを取りながら2人にとってベストな共通の夢を設定し、その夢を叶えるためにお互いに努力すると、飽きが来ない相互協力関係が生まれます。そして、このようにお互いを思いやる心や行動が、さらに世のため人のためというより広い考えや行動へと繋がっていきます。素晴らしい恋愛をすると同時に、輝く未来を**切り拓くためにどのように生きるのかという生き方**の中で、**自己成長**からさらに、**相互成長**をすることで、人間性により一層の磨きを掛けていきたいものです。

　なるほど、素晴らしい恋愛を通して、幸せは2倍の喜びとし、反対に不幸は2分の1とすることができるのですね。相手を幸せにするチャンスに恵まれ、出会えた2人の深い縁に感謝しながら、笑顔で素敵な恋愛を楽しみたいですね。

　そのとおりです。

第 5 章

成功の方程式

ここでは、人生において**成功するための方程式**（「**成功の方程式**」）について述べています。これによって、様々なことに果敢に挑戦し、成功し、幸せで実り多い人生を送りたいものです。このために、「考え方」「積極性」「実践力」及び「縁」などについて説明しています。

1　成功の方程式─────────────

　👧　人生における「成功の方程式」として、どのようなものが考えられるのですか？

　👴　人生における**成功の方程式**は図表5-1のように表現することができます。

　この方程式では成功の程度は「**考え方×積極性×実践力×縁＝成功**」の程度として表せます。この場合、この方程式自体が

図表5-1　成功の方程式

*1：因果律（人生の法則における緯糸の法則）
*2：縁起の法（人生の法則における経糸の法則）
（出所）岩崎、前掲書、216頁。（一部変更）

202

前述の「人生の法則」における緯糸である主体的な行為法則としての**因果律（因×縁＝果）**を表わしています。同時に、この式における**縁**は人生の法則における経糸としての**縁起の法**も表しています。それゆえ、この成功の方程式は人生の法則における経糸と緯糸である縁起の法と因果律を示しています。

①　考え方

方程式上の「**考え方**」は、どのような意味と位置付けがなされているのですか？

ここで「**考え方**」とは私たちの日常における考え、思想、信念、夢、志、目標などを意味しています。しかも、この**考え方の位置付け**として、この考え方がこの方程式のうちで最も重要なものです。それは考え方が良いないし悪い結果という結果の方向性を決めてしまうからです。それゆえ、**始めに思考ありき**です。また、思考は前述のように、それを日夜考え続け、また、その達成に向けて努力を継続すれば実現する可能性が高まります。

(a)　一切唯心造

この考え方にも、前述の「**一切唯心造**」が適用されます。すなわち、人生のすべては心に拠っており、心のとおりに造り出

203

されます（「一切唯心造」）。それゆえ、輝く未来を切り拓き、成功し幸せに生きるためには、心豊かに世のため人のためという利他的なことを考え、行動すれば、世の中全体がより幸せになれると同時に、結果として自分自身もより成功し、幸せになれます。

(b) 因果律

この考え方にも、前述の「**因果律**」が適用され、善因善果・悪因悪果や積因積果・消因消果という結果が現われます。それゆえ、善い結果を期待するならば善いことだけを考え、かつ明るく積極的に行動することが大切です。また、成功や幸せのためにはノウハウ的な方法論よりも、これまで説明してきた考え方や生き方の方がより重要です。

② 積極性

積極性については既に説明済みなので、本文を参照して下さい。なお、明るく前向きな積極性は成功のためには必須のものです。

③ 実践力

 人生を切り拓く場合、「**実践力**」がなぜ重要なのですか？

　　　それは実践をしないと結果が得られないからです。すなわち、この実践力は知識・技能・体力及び実行力を含む総合的なものです。知識や技能について高いにこしたことはありません。普段からこれらを高めるように努力が必要です。それと同時に、その知識だけでは全く意味がありません。知識と共にその実践が伴って初めて意味があるものとなり、かつ成果も伴います。つまり、人生においては**知っている、やっているとできている（「知る→やる→できる」）とでは全く次元が異なります**。言い換えれば、自分の力で人生を切り拓き、幸せな人生とするためには、先に知識を付けて後で実践するという**朱子**的な**先知後行型の行動パターン**ではなく、人生で得た知識と積極的な実践を常に一致させるという**王陽明**的な**知行合一型の行動パターン**が決定的に大切です。

　本当の理解や知恵は、**知識＋実践＝知恵（理解）**であり、これによって実生活において実際に使える知恵として体得されます。このように、人生は無限の可能性があり、人生は変えられます。そして、人生は選択の連続であり、幸せで最高の人生とするために、世のため人のためのことを考え、積極的にチャレンジし、大胆に実践することこそが大切です。まさに**実践こそ成功や幸せの王道**です！

④　縁

輝く人生を切り拓く場合、「**縁**」がなぜ重要なのですか？

それは次のような理由からです。すなわち、この社会は多くの人間で構成されています。そして、人生においてどのような人と出会うか（「**出会い**」）やその縁（「**ご縁**」）がその人に非常に大きな影響を与えます。それゆえ、日々の生活において心豊かに他の人々との人間関係を大切にし、良好な人間関係に基づき、縁を育み（「**育縁**」）、接触機会が多くなり、他の人から頼まれごとが多くなるほど、より多くの幸運を引き寄せ、運が良くなります。すなわち、**運**とは多くの場合**人が運んできてくれるもの**です。このためには、普段から他の人に喜ばれることすなわち親切や利他の行動を取り、多くの信頼できる太い人脈を形成し、絆を大切にし、結束力ある関係を作り上げていることが大切です。

この場合、人間関係を良好に保つには、松下幸之助が実践したように、いつも笑顔[1] で相手から教わるつもりで話をよく聞

---

[1] ニコッとした笑顔は、嬉しい、好きや楽しいなどの好感を表わすときに出る表情です。いつも心がポジティブで**笑顔の心掛けや習慣のある人**は、笑顔用の筋肉が付いてきて顔の基本形が笑顔になり、魅力的な**福相**ないし**幸福相**となると共に、**顔面フィードバック効果**によって**明るい性格**になり、自律神経が整えられ、免疫力が向上し、人間関係が上手くいき、積極的な行動もなされ、幸運にも恵まれ易くなります（拡張形成理論）。反対に笑顔の少ない**貧相**ないし**貧乏相**の人は、一般に幸運に恵まれにくいといわれています。

き[2]、相手を褒め、相手に感謝することによって相手の**自己重要感**を高め喜んでもらうと同時に、相手を気遣い、感謝されるように積極的に努め、相手から信頼されるように振舞うことが大切です。このように、幸運や良縁を 1 つでも多く引き寄せてくることが大切です。人生において**運が良い**とは**縁が良いこと**つまり**多くの人が運をもたらしてくれる**ということに言い換えられます。

　確かに人生において縁は非常に重要ですね！

　全く同感です。これまで説明したように、この成功の方程式の内容を、日常生活において良い習慣として実践し、幸せになることが何よりも大切なことです。

⑤　幸福の方程式

　人生において成功と同様に大切な「**幸福の方程式**」はどう表現できるのですか？

　上述の**成功の方程式**は同時に**幸福の方程式**でもあります。すなわち、幸せも成功と同じ方程式を実践することによって得ることができます。

---

2 話しを上手くするポイントは、相手へ教えるつもりではなく、相手から教わる姿勢で話をよく聞くことが大切です。

2　最高の人生

　ここにおいて成功し幸せな人生を送るための「人間関係における完成形」や「最高の人生」について説明しています。

① 人間関係における完成形

　「人間関係において目指すべき理想的な状態としての**完成形・理想形**」がありますか？

　人間関係において**目指すべき完成形・理想形の状態**のものとして、図表５−２のようなものがあります。このような完成形・理想形を常に目指し、良好な人間関係を作り上げて、成功し幸せな人生を送りたいものです。

② 最高の人生

　哲学上「最高の人生」とはどのようなものなのですか？

　自己の夢や志を追い求めて、自分で切り拓いた最高に豊かで幸せな人生とは、一般に次のように「**太く・長く・広く・深く・幸せに」生きる**人生であると考えられます。

　第１の「**太さ**」に関して、人生の太さは**人生の質的側面**であり、前述の「成功の方程式」にあるように、死生観に基づく夢

図表5-2　人間関係における完成形・理想形

完成形・理想形	内　　　　　容
①慈愛（動機）	考えや行動の動機（モチベーション）が慈愛であることが理想形（慈愛性）
②倫理（道徳）	人間は社会的な存在なので、お互いに社会人としての倫理観を持つことが理想形（健全性）
③相互依存関係	独立した当事者がお互いに専門領域を生かして協力し合うという相互依存関係が理想形（相互依存性）
④ウインウイン関係	相互にウインウイン関係となり、シナジーが発揮されることが理想形（効率性）
⑤調和・バランス	人間関係においてはどのような状況においても、対立や争いではなく、調和やバランスを保つことが理想形（調和性）

（出所）岩崎、前掲書、236頁。（一部変更）

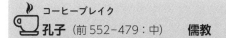

コーヒーブレイク
孔子（前552-479：中）　　儒教

　　孔子は儒家及び**儒教**の始祖です。そして、儒教は**孔子**を祖とする教学で、孔子の人格を中心とする倫理道徳の教えであり、『論語』[3]などでその内容が記述されています。君子が備えるべき五つの基本的で普遍的な徳目である**五常**（仁義礼智信）を重視し、**四書**（『論語』『大学』『中庸』『孟子』）及び**五経**（『易経』『詩経』『書経』『礼記』『春秋』）を経典とする中国古来の道徳・政治の原理が説かれています。

3　金谷治訳注『論語』岩波文庫。

や志（「考え方」）を持って、積極的（「積極性」）に行動（「実践力」）することで、密度の濃い充実した時間や経験をしながら生きることです。この人生の太さは自分の考えで自由に決定することができます。それゆえ、人生において生じる出来事について前向きに捉え、心技体をバランスよく鍛えて、積極的にそれを活用することによって、実り多き幸せな人生を送ることができます。

　第2の「**長さ**」に関して、人生の長さは**人生の量的側面**であり、寿命ということです。いつ亡くなるかは天命なので、人間にはわかりません。それゆえ、これを自分で自由に決定することはできません。しかし、健康の4要素をバランスよく保ち、健康寿命を延ばし、できる限り心身共に健康で夢を追いかけながら長生きしたいものです。

　第3の「**広さ**」に関して、人生において出会う人々との縁を大切にし、できるだけ広く多くの人々と楽しく交際し、刺激を得ることや新しい事柄を受け入れることであり、自分と異なる考えや新しい変化を受け入れることです。このことによって視野が広がり、経験が豊かになり、自己成長にもつながります。このように、広い人間関係を築き、新しいことを受け入れることによって、様々な考え方や生き方を学び、刺激を得、楽し

み、経験を豊かにすると共に、自己の成長によって豊か[4]で幸せな人生を送ることができます。

　第4の「**深さ**」に関して、人生の生き方として自己の人生における情味である素晴らしいことに対する**感動**、嬉しいことについての**感激**や有難いことに**感謝**を沢山味わい、心を豊かに、人生は素晴らしく、生きる喜びと価値があると思える人生を送ることです。この情味には楽しく感動的なことは勿論のこと、苦しかったことを克服した経験なども含まれ、人生における苦楽を深く味わいます。

　第5の「**幸せ**」に関して、人生の生き方としてお金、出世や名声がいくらあっても、不幸であっては何の役にも立ちません。それゆえ、**アリストテレスが幸せは最高善である**と指摘しているとおり、人生の最終目的は幸せになることです。自己の貴重な人生を、家族や多くの親しい友人など良好な人間関係を築き、明るく楽しく、ハッピーなものとしたいものです。

　　よく理解できました。今後これらを最高の人生の指標として活用していきます。ところで、このような幸せな人生を

---

4 豊かさとして物心共にバランスの取れた豊かさであることが大切です。この豊かさの基礎にある価値として、自己の情熱、知恵及び最高の人生を送る生き方と生きる力などがあります。なお、単にお金があることよりも、㋐健康であること、㋑良好な人間関係が保てること及び㋒自分軸で生きられることの方がはるかに大切です。

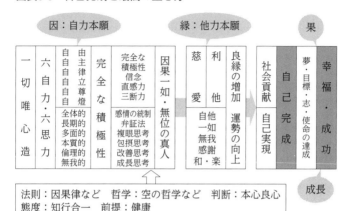

図表5-3　自己完成と最高の生き方

因：自力本願					縁：他力本願				果

一切唯心造

六自力・六思力　全体的・長期的・多面的・本質的・倫理的・無我的

由自律立尊燈　自自自自自自主

完全な積極性

完全な積極性　信念　直感力　三断力

感情の統制　弁証法　複眼思考　包摂思考　改善思考　成長思考

因果一如・無位の真人

慈愛　利他　自他一如　無我　感謝　和・楽

良縁の増加　運勢の向上

社会貢献　自己実現

自己完成

夢・目標・志・使命の達成

幸福・成功

成長

法則：因果律など　哲学：空の哲学など　判断：本心良心
態度：知行合一　前提：健康

送った人にはどのような人がいますか？

　　このような幸せで最高の人生を送ったと考えられる人の具体例としては、例えば、マザー・テレサ（神の愛の宣教者会元総長）、日野原重明（ひのはらしげあき）（聖路加国際病院元名誉院長）、昇地三郎（しょうち）（しいのみ学園元理事長兼園長）、宮城まり子（ねむの木学園元理事長）などの人たちがいます。このような人々のように、死生観に基づく夢や志を持って明るく積極的で継続的な努力により密度の濃い充実した時間を送ることによって実りが多く、また縁を大切にし、多くの仲間と楽しみながら幸せな人生としたいものです。

　以上のように、人生には、自己のワクワクするような夢を

持って生き生きと人生を送れる「生きる力」と「生き方」が大
切です。言い換えれば、日常の生活においては、これまで説明
してきた人生哲学を前提として六自力と六思力を持って思考を
巡らせ、自己の夢や志に向かって完全な積極性を発揮し、三断
力で実践します（図表5-3）。この際、他の人や環境に対して
は、自他一如の観点から慈愛や利他を起点として考え、行動す
ることによって、良縁の増加による運勢の向上を図りながら、
夢や志の実現と社会貢献を同時に達成するという自己完成を目
指して努力します。その結果として幸せや成功が後から付いて
きます。

むすび

（1） まとめ

 これまでのお話を簡単にまとめてください。

 わかりました。これまで**これから輝く未来を切り拓くという希望を持った若者が成功し、幸せで最高の人生を生きるために大切な人生哲学、人生の座標軸ないし根本的な考え方について**解説してきました。特にここでの人生哲学の中心テーマはこの1回限りの本当に貴重な輝く**人生を切り拓くために、どのように生きるのか**という「**生き方**」を問うものでした。

第1章では、人生哲学において**本当の自分（真我）とは**などについて説明してきました。ここでは身体説、心説、心身説及び魂説を説明し、特に心身説ないし魂説によることがより良い人生の生き方にピッタリであることを示しました。

第2章では、人生において最重要な（経糸と緯糸としての）法則として、**縁起の法**と**因果律**を説明し、人生の目的として**自己実現**と**自己完成**があり、特に自己完成の生き方の方がより望ましいことを示しました。成功できる人は**人生の5大事実**（今、ここ、自分、1回性及び夢・志）を自覚し、そこから死生観と夢や志

を確立し、密度の濃い充実した時間を過ごせる人です。この場合、特に「今に生きること」には多くの長所がありました。また、安心立命の境地に生きるためには、六自力、六思力及び三断力を発揮することが有用であり、人格者になるためには、自我をコントロールでき、利他の精神を持つことが大切でした。

第3章では、人生哲学の具体的な内容であり、中心内容である**因果律、健康、一切唯心造、自他一如、慈愛、感謝、本心良心、積極性、潜在意識及び空**について説明してきました。

第4章では、人生で最もワクワクするテーマで、より良く創造的な人間関係を作り上げていく**恋愛**について説明をしました。

第5章では、**成功の方程式**について説明をしました。この成功の方程式それ自体が因果律と縁起の法を示し、このうち特に「考え方」が重要であり、同時に「積極的に実践していくこと」も生き方として非常に大切であることを示しました。

🧑 いろいろと有用な考え方を教えて頂きありがとうございました。

（2） 自分軸に基づく生き方の5大重要事項

① 人生における座標軸としての自分軸

👩 人生における有用な座標軸としての自分軸について簡単にまとめて下さい。

図表6-1　人生における座標軸としての自分軸

軸	内　　容	説　　　　　明
自 分 軸	①因果律	自己の行為原理
	②真我	本当の自己（真我）の明確化
	③死生観	自己の死生観の確立
	④人生の目的	自己の人生の目的の設定
	⑤価値観	自己の最も重要な価値観の明確化（5個位）
	⑥個性	自己の個性を生かすこと
	⑦成功・成長	自己の成功や成長の重視
	⑧一切唯心造	自己の思ったとおりの人生や人間となること
	⑨自他一如	自己と他人との相互依存関係性と社会貢献（利他・慈愛・シナジー・共生）
	⑩積極性	常に新たなことに挑戦し、自己の最大の努力をすること
	⑪六自力	自己の6つの精神的な力（自由・自主・自立・自律・自尊・自燈）
	⑫自分への 思いやり	（セルフ・コンパッション：自愛）自分を思いやり、いつも自己の機嫌の良い状態を保つこと
	⑬自己評価	他人評価ではなく、自分の価値観で自分を評価すること
	⑭自己肯定感	自己を受容し、自己の心が満たされ、自分の生き方を肯定すること
	⑮自己完結性	自己決定・自己コントロール感・六自力・課題分離・影響領域・自己評価・自責思考などによって自己完結的な人生とすること

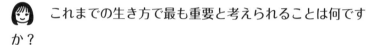 わかりました。これまでお話したことを前提として、全体的なまとめとして人生において成功し、幸せで最高の人生を切り拓くための**生き方**を考える上で、まず他人の評価や価値観などに依存した他人軸ではなく、自分自身の価値観に基づくしっかりとした人生の座標軸として**自分軸**を持つことが大切であることが明確にされました（図表6-1）。

② 生き方の5大重要事項

これまでの生き方で最も重要と考えられることは何ですか？

これまでお話してきた中で**最も重要であると考えられる**「**生き方の5大重要事項**」は図表6-2のとおりです。

第①に、私たちの**人生というドラマを織りなす緯糸と経糸としての人生の法則**として**因果律と縁起の法**が**支配**しているということです。このような法則から人間関係や環境との良好な関係性を保ち、善いことだけを考え、かつ行動することが大切です（善因善果）。

第②に、人生を生きる上で、その前提として知らなければならないこととしての**本当の自己（真我）とは何者か**ということを深く考えることです。成功者で幸せな人生を送っている人た

218

図表6-2 生き方の5大重要事項

自分軸に基づく**生き方の5大重要事項**

① 【人生の法則】 因果律 (縁起の法)	② 【真我とは】 心身説 ないし魂説	③ 【死生観】 夢・志の確立	④ 【人生の目的】 自己完成 (自己実現+社会貢献)	⑤ 【成功の方程式】 積極的な実践力 (継続的な努力)	成功 幸福

ちは心身説の他に、より深い考え方ができる**魂説**によっている
場合も少なくありません。この説によれば、自己のエゴの統制
が容易となり、また、心身を常にベストで健康な状態に保てる
ので、より成功しより幸せになり易くなります。

　第③に、人生の生き方に決定的な影響を与えるものとして、
死を見つめるという心的な外傷後の人間的な成長（**心的外傷後成
長**）に基づき**死生観を確立**し、人生の終わりからもう一度この
儚（はかな）く非常に貴重な1回だけの人生を見つめ直し、自己の夢や
志を確立し、その達成を目指して日々密度の濃い充実した時間
を過ごすことができるか否かが、成功し幸せに生きられるかど
うかを決定する最重要なものでした。

　第④に、**人生の目的**をしっかり考えることです。ここでは非
常に抽象的な人生の目的として、㋐心豊かに自分らしい自己の
個性を生かしながら精一杯、継続的な上への努力によって進化
向上し、実り多く幸せな人生を送るため（「**自己実現**」）であると

219

同時に、㋑この場合の**生き方**として、東洋哲学の中心思考の1つである利他心を持って、世のため人のためという社会貢献を常に同時達成していくこと（「**自己完成**」）です。これは西洋流の自己実現とは一線を画する東洋哲学に基づくものです。

　第⑤に、この世の中において最も重要な人生の生き方としては**成功の方程式**に掲げられている**積極性と実践力という積極的な実践力**を発揮することです。日本人は一般に大人しく自己主張を強く行わないという大変良い性格を持つ人が多いのですが、人生において成功し幸せな人生を送るためには、常日頃から明るく前向きで積極的に物事を考えると共に、それを実際に実践していくという実践力が非常に重要です。頭の中だけの知識では人生には何の役にも立ちません。それを実行してこそ本当の知恵となり、また夢や志が現実化します。このように、先知後行ではなく、知行合一の考え方とその実践が人生では最も大切な真理です。そして、自己の人生の目的に向かって密度の濃い充実した時間を過ごすことによって「人事を尽くして天命を待つ」ことが大切です。また、「ローマは1日にして成らず」でもあります。一生の間、果てしない夢を追い続けていきたいものです。

(3) むすび

 最後の「むすび」をお願いします。

 そうですね。これまでお話してきたように、**人生には無限の可能性があります**。そして、私たちは**どのように考え、生きるかによって人生を変え、コントロールすることができます**。すなわち、**人生は選択の連続であり**、どのような方向性を目指し、どのような選択と実行をするかで人生が決定します。勇気を持って成功や幸せになることを選択することが大切です。

そして、輝く人生を切り拓くためには、成功の方程式の内容の実践及びその実質的内容であるこれまで説明した人生哲学10項目の内容に従うことが王道であることを示しました。1人でも多くの読者が正しい哲学の内容を理解し、これらを日常の習慣として実践することによって、輝く未来を切り拓き、成功し、笑顔溢れる幸せな人生となることができれば甚だ幸いです。最後までお付き合い頂き、感謝の気持ちで一杯です！

 ありがとうございました。

"Stay hungry. Stay foolish." (Steve Jobs)

いつまでもハングリーであれ！ 愚か者であれ（学び続けろ）！

なお、本書に関する感想・講演会などについての問い合わせなどは、出版社を経由するか、またはホームページ（岩崎哲学研究所：https://saita2.sakura.ne.jp）を参照して下さい。また、幸せに関心がある人は、岩崎勇著『幸せになれる「心の法則」』幻冬舎を併せてご購読ください。

図表　哲学概史

古代ギリシャ：哲学の開始

（哲学以前：ギリシャ神話などの神話の世界）

（自然）哲学の始まり、世の中を神ではなく、理性（ロゴス）で合理的に考えようとしました（**神話**から**哲学**へ）。

【イオニア学派】観察の重視：**タレス**：万物の根源：水など

【エレア派】理論の重視：**パルメニデス**：あるものはあるなど

【原子論】デモクリトス：万物の根源：原子（科学的事実）など。これは今日の素粒子論へ大きな影響を与えました。

古代ギリシャ哲学の全盛期

ギリシャ文明など。科学・政治や宗教などの大元の学問としての哲学。ギリシャの最盛期：ソフィスト（職業教師）の時代：ポリス制度：民主制・奴隷制

プロタゴラス（ソフィスト）：相対主義、人間中心主義（人間は万物の尺度である）など

【アテナイ学派】**ソクラテス**：絶対主義・問答法、善い生き方の探究、知行合一（善についての知識を身に付ければ、その人の行いも善くなること）、魂への配慮（魂を傷付けるような不善をしないこと）、無知の知など

プラトン：善や美とは何かなどを「イデア」（本来あるべき理想像）から考え（「イデア論」）ようとしていた観念論的で二元論（イデア界と現象界）的な哲学。

アリストテレス：アレクサンドロス大王の家庭教師で「万学の祖」。現実主義者で現実の世界を主な対象とし、形相質料論（可能態・現実態）などを主張した経験論的な哲学

ヘレニズム哲学

アレクサンドロス大王のペルシャなどの征服によるポリスの崩壊と世界市民主義の台頭→心の平穏を求めるもの

【ストア派】禁欲主義（欲を理性で抑え、自然（理性）に従って生きるという考え方：ゼノン、エピクテトスなど

【エピクロス派】（精神的）快楽主義（隠れて生きる考え方）：エピクロスなど

中世哲学

ローマ時代：ローマ帝国によるキリスト教の公認→キリスト教のヨーロッパにおける拡大→**人間**から**神**（**神中心主義**）すなわちキリスト教が社会を支配する時代へ、哲学はキリスト教の神学の補助的な位置づけ

【教父哲学】アウグスティヌス：最大の教父、恩寵説、悪の問題、自由意志など
【スコラ哲学】トマス・アクィナス：『神学大全』を著わし、哲学は神学の侍女的な位置づけなど

近代哲学（1）大陸合理論

　ルネッサンス（人間性解放の運動でギリシャ・ローマ時代の文化や思想などの復興）、宗教改革、近代科学の発展、**神**から**人間**（**人間中心主義**）へ。人間の頭で考えたことすなわち推論などの理性を重視し、絶対的真理を探究し、近代合理主義へ
デカルト：近代哲学の祖。方法的懐疑「我思う、故に我あり」、心身二元論、高邁の精神、演繹法など
スピノザ：汎神論（世界のいたるところに神は遍在すると考えるもの）など
ライプニッツ：予定調和説：単子（モナド）全体はあらかじめ相互に調和しながら動くように定められていることなど

近代哲学（2）イギリス経験論

　目で見たことすなわち経験・観察を重視し、絶対的真理はないとの考え方
ベーコン：「知は力なり」（知識により自然の支配力を持つこと）、帰納法、イドラ（偏見）の排除など
ロック：生まれたての人間は「タブラ・ラサ」（白紙）であり、経験によって知識が書き込まれることなど
バークレー：『人知原理論』唯心論的なもので、観念を知覚する精神のみが唯一の実体であり、存在するとは知覚されることなど
ヒューム：心は「知覚の束」に過ぎないことなど

近代哲学（3）功利主義

　産業革命の進展
アダム・スミス：神の見えざる手、レッセフェール（自由放任主義）など
ベンサム：最大多数の最大幸福、（量的）功利主義、快楽計算、外的制裁など
ミル：（質的）功利主義、良心の内的制裁など

近代哲学（4）ドイツ観念論

　イギリス経験論と大陸合理論の統合
カント：批判哲学、イギリス経験論と大陸合理論の統合、認識は感性による直観と悟性による思惟の共同作業の結果であり、認識が対象に従うのではなく、「対象が認識に従う」こと（認識批判）など

ヘーゲル：弁証法〈べんしょう〉、絶対精神（理性の狡知〈こうち〉）、人倫〈じんりん〉（道徳と法律を統合したもの）など

近代哲学（5）プラグマティズム

実用主義：理論や知識の妥当性を実践や行動によって検証しようとするもの

パース：行動に結びつかない知識は無駄など

ジェームズ：真理とは有用性など

デューイ：道具主義、創造的知性など

現代哲学（1）実存主義

産業革命による大量生産・大量消費の時代となり、人間疎外〈そがい〉が進行し、現実存在としての1人ひとりのあり方や生き方を考えるもの（**人間**から**個人**へ）。

キルケゴール：実存主義（美的・倫理的・宗教的実存）、主体的真理、『死への病』（絶望）など

ウィトゲンシュタイン：『論理哲学論考』で人間の思考の限界（言語によって明確に「語りえないものには沈黙しなければならない」：言語批判）を明確化など

ニーチェ：『ツァラトゥストラ』。キリスト教はルサンチマン（恨み）に基づく奴隷道徳であり、「神は死んだ」と言いました。受動的・能動的ニヒリズム（虚無主義）：永劫回帰説（すべては無限ループ）の下で、力への意志を持って生きる超人を目指すものなど

ヤスパース：限界状況、超越者との出会い、実存的交わりなど

ハイデガー：現存在（気づいた時には既に現に存在していること）、死への存在（死へ向かう存在）など

サルトル：『嘔吐〈おうと〉』、『存在と無』、『実存主義とは何か』などの著作があり、「実存は本質に先立つ」や「人間の運命は人間の手中にある」、自由の刑、アンガージュマン（社会参加）など

現代哲学（2）現象学

物事が実在するとはどのようなことであるのかを解明するもの

フッサール：現象学の創始者。外部の世界の存在を初めからあるとする断定を一旦停止（「**エポケー**」）し、対象が意識にどのように現われるかを吟味することなど

メルロ＝ポンティー：身体など

現代哲学（3）構造主義

　文化や社会などを普遍的な構造として客観的に把握し、分析するもので、実存主義に代わる新しい思想

ストロース：『野生の思考』で、未開社会においても非西洋的な論理的な規則に従った生活をしているとし、西洋中心主義を批判することなど

現代哲学（4）その他

【ポスト構造主義】構造主義を批判的に継承した思想。**ドゥルーズ**は差異と反復の一体性などを主張。**デリダ**：脱構築など。**フーコー**：『狂気の歴史』、『監獄の誕生』などの社会史。例えば、狂気の歴史を通じて、権力が科学的な知を隠れみのに、人々を分類し、管理し、支配していったことの明示など

【オリエンタリズム】西洋の東洋に対する文化的ヘゲモニーの総体。**サイード**はオリエンタリズムを批判など

【ポストコロニアリズム】（植民地時代とその余波）植民地帝国主義の正当化を暴露し、解体する思想。

【フェミニズム】社会経済的・法的な性差別を是正する思想や運動。バトラーなど

【複雑系】多数の要素からなり、要素間の動的な相互作用によって多種多様な部分系が生成されるような系のことであり、要素還元的な方法では理解不能な動きを示すもの。

【応用倫理学】環境問題（環境倫理）、遺伝子操作（生命倫理）などの新しい倫理的課題を扱う倫理学。**シンガー**：人間中心主義を否定して、痛みを感じる動物を尊重すべきことなど

(注)　本「哲学概史」及び文中の「コーヒーブレイク」は、廣松渉他編『岩波　哲学・思想事典』岩波書店、小須田健訳、ウィル・バッキンガム著『哲学大図鑑』三省堂、思想の科学研究会編『新版　哲学・論理用語辞典』三一書房、木田元編『哲学キーワード事典』新書館、富増章成『この世界を生きる哲学大全』CCCメディアハウス、田中正人『哲学用語図鑑』プレジデント社、伊藤邦武・山内志朗・中島隆博・納富信留責任編集『世界哲学史1〜8』ちくま新書、田中正人『続哲学用語図鑑』プレジデント社、出口治明『哲学と宗教全史』ダイヤモンド社、貫成人『図説・標準哲学史』新書館などを参照して作成しています。

〈著者紹介〉

岩崎 勇（いわさき いさむ）

略歴

明治大学大学院経営学研究科博士後期課程単位取得
現在：岩崎哲学研究所所長・九州大学名誉教授・大阪
商業大学特任教授
財務会計研究学会副会長・グローバル会計学会常務理
事・国際会計研究学会理事・日本簿記学会理事・日本
会計史学会理事・会計理論学会理事・日本会計研究学
会評議委員等

著書論文

『幸せになれる「心の法則」』（幻冬舎）、『AI 時代に複
式簿記は終焉するか』、『基本財務会計』、『IASB の概
念フレームワーク』（編著）、『IFRS の概念フレーム
ワーク』、『キャッシュフロー計算書の読み方・作り
方』、『経営分析のやり方・考え方』、『新会計基準の仕
組と処理』、『新会社法会計の考え方と処理方法』（以
上、税務経理協会）、（文部科学省検定済教科書）『新
訂版 原価計算』（監修）、（文部科学省検定済教科書）
『現代簿記』（監修、以上、東京法令出版）等の多数
の本、及び「IFRS の概念フレームワークについて—
最終報告書」（編著：国際会計研究学会 研究グルー
プ）、「会計概念フレームワークと簿記—最終報告書」
（編著：日本簿記学会簿記理論研究部会スタディ・グ
ループ）等の多数の論文

その他

税理士試験委員や福岡県監査委員を歴任、FM 福岡
QT PRO モーニングビジネススクール（講師）、また
哲学、会計、税務、コーポレート・ガバナンス、監査
等のテーマで講演会等の講師を務める。

四海 雅子（しかい まさこ）

略歴

九州大学大学院経済学府産業マネジメント専攻修了
現在：岩崎哲学研究所副所長
「哲学」「幸福論」「温かいまちづくり」などをテーマ
に人・経済・地域の活性化、士業の社会貢献などにつ
いて研究中です。

哲学　輝く未来を拓くために

2022年2月16日　第1刷発行

著　者　　岩崎 勇
　　　　　四海 雅子

発行人　　久保田貴幸

発行元　　株式会社 幻冬舎メディアコンサルティング
　　　　　〒151-0051　東京都渋谷区千駄ヶ谷4-9-7
　　　　　電話　03-5411-6440（編集）

発売元　　株式会社 幻冬舎
　　　　　〒151-0051　東京都渋谷区千駄ヶ谷4-9-7
　　　　　電話　03-5411-6222（営業）

印刷・製本　中央精版印刷株式会社

装　丁　　杉本千夏

検印廃止
© ISAMU IWASAKI, GENTOSHA MEDIA CONSULTING 2022
Printed in Japan
ISBN 978-4-344-93762-8　C0095
幻冬舎メディアコンサルティングHP
http://www.gentosha-mc.com/